iPadの引き出し

あらゆる場面で役に立つ活用アイデアブック

五藤晴菜
Goto Haruna

With iPad
Life is Fun

This is the best guide book of iPad
for all the people who love Apple products

SB Creative

本書に関するお問い合わせ

この度は小社書籍をご購入いただき誠にありがとうございます。小社では本書の内容に関する
ご質問を受け付けております。本書を読み進めていただきます中でご不明な箇所がございまし
たらお問い合わせください。なお、お問い合わせに関しましては下記のガイドラインを設けて
おります。恐れ入りますが、ご質問の際は最初に下記ガイドラインをご確認ください。

● ご質問の前に

小社 Web サイトで「正誤表」をご確認ください。
最新の正誤情報をサポートページに掲載しております。

● 本書サポートページ URL
https://isbn2.sbcr.jp/17936/

● ご質問の際の注意点

- ご質問はメール、または郵便など、必ず文書にてお願いいたします。お電話では承っており
  ません。
- ご質問は本書の記述に関することのみとさせていただいております。従いまして、○○ペー
  ジの○○行目というように記述箇所をはっきりお書き添えください。記述箇所が明記されて
  いない場合、ご質問を承れないことがございます。
- 小社出版物の著作権は著者に帰属いたします。従いまして、ご質問に関する回答も基本的に
  著者に確認の上回答いたしております。これに伴い返信は数日ないしそれ以上かかる場合が
  ございます。あらかじめご了承ください。

● ご質問送付先

ご質問については下記のいずれかの方法をご利用ください。

▶ Web ページより

上記のサポートページ内にある「お問い合わせ」をクリックすると、メールフォームが開きます。
要綱に従って質問内容を記入の上、送信ボタンを押してください。

▶郵送

郵送の場合は下記までお願いいたします。
〒 106-0032　東京都港区六本木 2-4-5
SB クリエイティブ　読者サポート係

選択肢を増やせば、可能性は広がる

人生を豊かにする秘訣は、できるだけ選択肢を増やすことです。選択肢が多ければ、新たな可能性が広がります。この考え方は、iPad についても同じです。

「iPad を持っているけれど、全然活用できていない」という声を聞くたびに、せっかくすごい道具を持っているのに使わないのはもったいないことだなと感じていました。
せっかく iPad を手に入れたのなら、さまざまな使い方を知っていた方が選択肢は広がります。

私の中で iPad が特別なツールになったのは、2015 年に iPad Pro と Apple Pencil が初めて登場したタイミングでした。iPad で手軽に手書き入力ができるようになった時です。しかし、iPad の魅力は手書き機能だけではありません。iPad には多くの機能が詰め込まれているのです。

iPad を使いこなすためには、たくさんの有料アプリが必要と思われている人も多いかもしれませんが、iPadOS に含まれる標準機能や無料アプリだけでも、しっかり使いこなせれば iPad の性能は引き出せます。
iPad には「説明書」が存在しません。自分で興味を持ち、調べないと新機能に気づかないこともあります。そして、どんなにすごい新機能でも実際の iPad ライフの中で使えなければ意味がありません。

「まずは知ること。そして使ってみること。」

本書では iPadOS の機能を中心に、Apple 標準アプリや無料で利用できるアプリに絞って活用事例などを紹介しています。仕事や学習、クリエイティブな活動、エンターテインメントなど、さまざまな場面で iPad をこんな風に使うとこんなことができるという、iPad の引き出しがたくさん詰まっています。

これまで PC で行っていた作業も iPad だけで簡単にできる可能性があります。iPad の可能性を最大限に引き出すためには、まずはどんなことができるのかを知ることが重要です。
iPad だけで「こんなことができたんだ!!」と驚く体験を、もっと多くの人に感じてもらいたいと思います。

本書を通じ、iPad の引き出しをたくさん持つことで、あなたの iPad ライフがより豊かなものになることを願っています。

五藤晴菜

CONTENTS

Chapter 0

Chapter3

0

iPad の魅力を
最大限に活かすためには

iPad の強みと標準機能を知る

「iPad を使いこなしたい」と考える人の多くが、「iPad だけ何でもできる状態」を目指しがちです。しかし、iPad には明確に得意なことと不得意なことがあります。

不得意なことを無理して iPad だけでやろうとすると、時間や手間が余分に必要です。無理して iPad で全部やるのではなく、「iPad が得意なことだけを iPad を使って作業する」方がよっぽど効率的です。

まずは iPad が得意なことがどんなことかを知るところからスタートしましょう。

強み 1 手書き

デジタルとアナログの
ハイブリッド

iPad の最大の強みは Apple Pencil が使えること。iPad とペンを組み合わせて手書きするメリットは「自分の手を動かして文字や絵が書ける」「書いたものがデジタルデータになる」という点。

強み 2 画面の共有

相手にそのまま渡せる
手軽さ

iPad は複数人で使用する場合にも強い。打ち合わせなどで、紙の資料のように iPad を渡して画面を見てもらうことが可能。iPad は持つ向きによって画面が回転するので、上下を気にする必要もない。

強み 3 携帯性と拡張性

ライフスタイルに
マッチした形へ

iPad 本体だけなら PC よりも薄くて軽いデバイス。携帯性に非常に優れていることも強みの1つ。iPad はアクセサリと組み合わせることで、使う場所や使い方を大きく変えられることも強み。

使いこなすために知っておきたいこと iPad のこと

使い方に合わせてカスタマイズする

iPad は、大人から子どもまで説明書を読まなくても操作できるように設計されています。標準設定のままでも問題ありませんが、設定アプリからさまざまな設定ができるようになっているので、自分が使いやすいようにカスタマイズするとより使い勝手はよくなります。最初は本書のおすすめ設定を真似してみるところからはじめるといいでしょう。

バカにできない標準アプリ

iPad には便利なアプリがたくさんありますが、購入時からプリインストールされている Apple 標準アプリもバカにできません。なぜなら標準アプリは iPadOS との連携度も高く、アップデートを重ねるうちに単機能から多機能へと変わってきているからです。iPad を持っているのに標準アプリを使っていないのはもったいなさすぎます。標準アプリを使いこなすことが iPad を使いこなすための近道です。

いろいろな使い方を知る

iPadOS やアプリの新機能は調べれば誰でも簡単に知ることができます。しかし新機能やできることを「知っただけ」ではなかなか活用につながりません。
「その機能をどんな時にどんなふうに使うのか」といったように使い道とセットで知ることではじめて使えるようになります。本書では、ちゃんと「使える」状態になれるように、機能と活用例をセットでたくさん紹介します。

iPadでどんなことができるのか

iPadは一緒に使うアクセサリやアプリの組み合わせによって、動画視聴からクリエイティブな作業まであらゆることができるデバイスです。

できることが多すぎるからこそ、逆にどう使えばいいのか迷うことになるかもしれません。

私はiPadを使わない日がないくらい毎日使っていて、家の中でもiPad miniを常に持ち歩いています。在宅で仕事をしているので仕事とプライベートの垣根なくiPadを使用しています。

仕事でもプライベートでも、長時間、同じ場所（同じ姿勢）で作業すると集中力が続きませんが、iPadを使っていれば場所の移動も手軽にできます。実際私は、朝9時まではリビングなどの住空間、9時からは2階の仕事部屋と、家の中でも場所を変えながら仕事をしています。

仕事は会社のオフィスや仕事部屋でしかできないという考え方が、iPadを使うことで、いい感じに崩れました。リビングのソファーにいると色々なものが目に入ってきて刺激になるからか、突然いいアイデアが思いつくことが多くあります。

逆に仕事部屋の方は、夫婦2人が壁を向く形のレイアウトになっているので、Macの画面だけが目に入り、1つのことに集中しやすくなります。場所と連動して作業内容を変える場合も携帯性の高いiPadを使えば簡単です。

iPadはどんな場所でも、快適に作業できるデバイスです。手書きの作業、音声入力を使った文字入力、メールや資料の確認など、自分が最も集中できる環境でさまざまな作業がはかどります。

iPadで仕事する私の1日のスケジュール

7:30

子どもを学校へ送り出し読書タイム

毎日最初にiPadを使用するのは、朝の読書タイム（30分）。主に紙の本を読みながら、iPad miniを使って読書メモを残す。

8:30

趣味のソーイングタイム

子どもが生まれてからはじめた趣味のソーイング。ソーイングの手順書や、ソーイングアイデアなどもiPadに入っている。ここでもiPad miniを使う。

9:30

自宅2階の仕事部屋で仕事スタート

仕事部屋ではiPad Pro 12.9インチをサブディスプレイにしながら仕事をする。イラストを描く時はiPad Pro、iPad miniはタイムトラッキングなどに使用する。

私は、iPad Pro 12.9 と iPad mini の 2 台運用なので、iPad mini では用途をしぼって使用しています。

たとえば、Procreate で絵を描く作業や、キーボードを使うような文章入力は iPad Pro。手帳で 1 日のスケジュールを立てたり、ちょっとしたメモ、メールの確認、読書、ゲームなどに使うのが iPad mini といった使い分けです。

Apple Pencil（第 2 世代）なら 1 本の Apple Pencil を 2 台の iPad で共有もでき、2 台運用でもあまり不便を感じていません。

家の中、主に生活空間では iPad mini だけで事足りることが多いです。

昼食後に家族会議

毎週月曜日に家族会議、水曜日にポッドキャスト収録をする。iPad Pro は仕事部屋に置きっぱなしのため iPad mini を使って会議で決めたことをメモしたり、USB-C でマイクをつなぎポッドキャストを録音する。

夕食～寝るまで

iPad でレシピ検索したものを見せながら息子と夕食の献立を決める。夕食後は家計簿をつけたり、息子と一緒にゲームをしたりするのに iPad を使う。この時も基本は iPad mini を使う。

iPad で何がしたいのかを考える

大事なのは、iPad を使って自分はどういうことをやりたいのかを知ることです。そして、自分がやりたいことを見つけたら、その中でも iPad が得意なことだけを選び取ることが必要です。

かつて私は「すべての仕事を iPad だけで

できるようにしたい」と試行錯誤をしていましたが、今は「iPad が得意なことだけ iPad でやる」というやり方に落ち着きました。

その方が iPad を効率よく道具として使うことができるからです。

たとえばこんな人の場合 …

パターン**1** 会社員

打ち合わせや会議では、iPadで音声録音とメモが
同時に残せる。後からまとめたり振り返る時にも紙
のノートにメモする以上に情報が記録できる。
多くの会社勤めの人に発生する通勤時間中も
iPhoneとiPadを連携させることで、ちょっとした
作業が進む。

- ・プレゼン資料、企画書、報告書の作成
- ・打ち合わせ、会議の議事録メモ
- ・スケジュール管理

パターン**2** 学生

教科書のデータをiPadに取り込めば、自分専用
の復習ノートも簡単に作成できる。
興味のあることを幅広く探す用途としてもiPadは
最適。

- ・単語の暗記、授業の板書、テスト勉強
- ・動画編集、写真加工などのクリエイティブ用途
- ・プリントの管理

パターン**3** 主婦

毎日やることや、覚えておかないといけないことが
無数にある主婦にこそ、iPadは強い味方になる。
なぜならiPadは家の中のどこででも快適に使用で
きるからだ。
また、動画編集や写真加工、バナー作成などができ
れば自分自身のコンテンツ発信や副業にもつながる。

- ・家計簿、日記
- ・資格勉強
- ・子どもの学校関係、予定や提出物の管理
- ・副業、ライフスタイルの発信

iPadの最新情報の入手方法

iPad でどんなことが新しくできるようになったのか、何ができて何ができないのかなどの情報は自分でキャッチしにいかないとわかりません。iPad の性能を活かしたいのであれば、そういった情報にアンテナを張っておくことも大切です。

新しい製品を買う時だけでなく、1年に1回の OS の大幅なアップデートの情報などはチェックしておくといいでしょう。最新モデルが 1 番おすすめとも限りません。アクセサリを買い足したり、iPadOS を最新バージョンにアップデートしたりするだけでも iPad の使い心地は大きく改善します。

Apple Event
3月〜4月
9月〜10月

Apple Event は、Apple が不定期に開催する製品発表イベント。Apple が新しい製品やサービスを発表する場であり、役員やエンジニアが新製品に関する情報発表やデモを行う。

Apple Event では、製品発表だけでなく、Apple が取り組んでいるテクノロジーやビジネスの方向性についても説明される場合がある。

WWDC
6月

WWDC は、Apple が主催する開発者向けカンファレンス「Worldwide Developers Conference」の略称。

新しいソフトウェア、ハードウェア、および開発者向けの新しいツールやテクノロジーに関する発表が行われる。毎年 6 月頃に開催され、秋に登場する次の iPadOS についてなどもここで発表される。基調講演は、Apple 公式 Web、Apple Developer アプリ、Apple TV アプリ、YouTube などで誰でも視聴できる。講演は英語だが、リアルタイムでも日本語字幕付きで視聴可能。

イベントの最新情報 ▶ Apple のイベント - Apple（日本）
https://www.apple.com/jp/apple-events/

私は、Googleアラートを使って「Apple Pencil」や「iPad」というキーワードをチェックしています。Web上に公開されたページから特定キーワードが含まれるものだけを通知する機能です。

iPad用のアクセサリ、特にApple以外のサードパーティー製のものが新しく出た場合などもすぐにチェックできて便利です。

おすすめコンテンツ❶

iPad Workers

私が配信しているニュースレター。メールアドレスがあれば誰でも無料で購読できる。
アプリの紹介や活用例を中心に、iPad活用のヒントになる情報を届けている。
他にも新製品の発表があると、旧型と新型の違い、新機能の紹介などをわかりやすく解説している。

https://ipadworkers.substack.com

おすすめコンテンツ❷

iPadmate

子どもから大人までがiPad & デジタルアートを学び、クリエイティブな体験ができるiPadmateスクール & スタジオ。
iPadmate NFTのホルダー(購入者)になると参加できるコミュニティがあり、全国のiPadmateとiPadに関する情報交換や勉強会への参加などができる。

https://nft.ipadmate.jp

アップデート時に気を付けること

メジャーアップデートと呼ばれる、年に1度のiPadOSのアップデートは、プログラムに大きな変更が加わるためアップデートに時間がかかります。また、アップデート中はiPadが使えなくなることの他、ごく稀にアップデートに失敗することもあります。
アップデートに失敗してしまった場合、iPadを初期化しなければならないため、万が一に備え、iPadのバックアップは必ず実行してください。

また、あまりにも古いiPadは、最新バージョンのiPadOSをインストールできないこともありますが、それはそろそろiPadを買い替えてもいい合図と思った方がいいでしょう。

iPadの機種比較

iPadと一括りに言っても、その種類や世代はさまざまです。iPadを新しく購入しようとしている人、買い替えを考えている人は、それぞれのスペックをよく確認しておくといいでしょう。

iPad Pro
11インチ、12.9インチ

性能	M2チップ
カメラ	12MP広角カメラ、10MP超広角カメラ、4Kビデオ、ProRes
認証	Face ID
Apple Pencil	Apple Pencil（第2世代）
キーボード	Magic Keyboard、Smart Keyboard Folio
ポート	USB-Cコネクタ、Thunderbolt / USB 4対応
価格（公式）	税込124,800円〜

iPad Air
10.9インチ

性能	M1チップ
カメラ	12MP広角カメラ、4Kビデオ
認証	トップボタンにTouch ID
Apple Pencil	Apple Pencil（第2世代）
キーボード	Magic Keyboard、Smart Keyboard Folio
ポート	USB-Cコネクタ
価格（公式）	税込92,800円〜

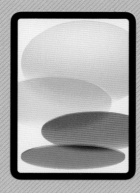

iPad（第 10 世代）

10.9 インチ

性能	A14 Bionic チップ
カメラ	12MP 広角カメラ、4K ビデオ
認証	トップボタンに Touch ID
Apple Pencil	Apple Pencil（第 1 世代）
キーボード	Magic Keyboard Folio
ポート	USB-C コネクタ
価格（公式）	税込 68,800 円〜

iPad（第 9 世代）

10.9 インチ

性能	A13 Bionic チップ
カメラ	8MP 広角カメラ、1080p ビデオ
認証	ホームボタンに Touch ID
Apple Pencil	Apple Pencil（第 1 世代）
キーボード	キーボード：Smart Keyboard
ポート	Lightning コネクタ
価格（公式）	税込 49,800 円〜

iPad mini

8.3 インチ

性能	A15 Bionic チップ
カメラ	12MP 広角カメラ、4K ビデオ
認証	トップボタンに Touch ID
Apple Pencil	Apple Pencil（第 2 世代）
キーボード	Bluetooth キーボード
ポート	USB-C コネクタ
価格（公式）	税込 78,800 円〜

使いこなす ための 心構え

まず最初にみなさんに知っておいて欲しいことは、「iPad は万能なデバイスではない」ということです。今は iPad と Mac、iPhone の連携度が上がっているので、「得意なことを得意なデバイスで作業する」ことを意識するのが使いこなしの 1 歩となるでしょう。

iPad は手書きなどアナログと同じように手を動かしながら考えることや、自分のスタイルに合わせた形に変化させることが得意です。反対に、iPad は一般的なデスクトップパソコンよりも画面サイズが小さいため、画面を広く使う作業は得意ではありません。また、iPad 版のアプリは PC 版と比べて機能

が低いといった場合もあります。こういった iPad の得意な作業と不得意な作業を切り分けることで、iPad は格段に使いやすくなります。また、iPad はカスタマイズ性が非常に高いので、みなさん自身の使い方や用途に応じてカスタムすることで、自分専用の使いやすい道具にすることができます。

本書では、iPad の使い方をわかりやすく解説しつつ、iPad をどう活用するかをポイントにしています。本書を参考に、自分の思考と行動を加速するための「ツール（道具）」として iPad を活用してみてください。大切なのは使い方ではなく、iPad を使って何を考え、どう行動するかです。

1

使いこなすための
基本操作と設定

すぐに作業を
開始するための設定

自分の使いやすいように設定する

多機能で手軽な iPad を使いこなす
には、自分の使いやすいように iPad
の環境を整えていくことが大切です。
特に iPad でよく使うアプリや機能
は、アクセスしやすいように設定をし
ておくと、思い立った時にすぐに作
業が開始できて便利です。ここでは、
iPad を使いこなすためにはじめに確
認しておきたい機能を紹介します。

コントロールセンターのカスタマイズ

コントロールセンターはディスプレイの明る
さや音量調節、標準メモアプリや標準ボイス
メモアプリの起動など、ロック画面やホーム
画面、さらにどのアプリを開いていてもほん
の数タップで必要なアプリ、設定項目にアク
セスできる機能です。

コントロールセンターに表示できる項目は
設定でカスタマイズできます。

iPad の画面右上隅から下にスワ
イプするとコントロールセンターが
開く。

「設定」>「コントロールセンター」をタップする。コントロールセンターに項目を追加したい場合は「+」のボタンをタップする。反対に、必要のないものは「ー」のボタンから非表示にする。

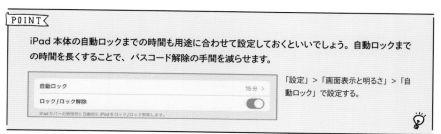

POINT

iPad 本体の自動ロックまでの時間も用途に合わせて設定しておくといいでしょう。自動ロックまでの時間を長くすることで、パスコード解除の手間を減らせます。

自動ロック	15分 >
ロック/ロック解除	

iPad カバーの開閉時に自動的に iPad をロック/ロック解除します。

「設定」>「画面表示と明るさ」>「自動ロック」で設定する。

「インスタントメモ」設定

iPad ユーザーの中には、手書き機能を活用している人も多いと思います。手書きができるノートアプリはたくさんありますが、標準メモアプリでしかできない「インスタントメモ」という機能があります。インスタントメモとは、

Apple Pencil で黒い画面（スリープ画面）をタップすればすぐにメモが起動する機能です（初代 Apple Pencil 対応の場合はロック画面からタップ）。

インスタントメモの設定

「設定」>「メモ」>「ロック画面からメモにアクセス」をタップする。

「常に新規メモを作成」か「最後のメモを再開」に設定すると、インスタントメモが有効になる。

効率アップに欠かせない
マルチタスク機能

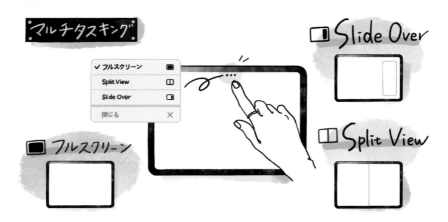

iPad のマルチタスク機能を使いこなせるとアプリ間の操作がはかどります。Split View や Slide Over への切り替え方法などは知っておいた方がいいです。一方で、iPad の画面はそこまで大きくなく、3 つ以上のウィンドウを使う作業は避けた方がいいということは理解しておきましょう。ここでは、基本的な操作方法と、私がどういった場面でマルチタスク機能を活用しているのかを紹介します。

ワークスペースをカスタマイズ

iPhone と異なるに iPad の便利なところは、Split View や Slide Over、ステージマネージャなどで複数のアプリを同時に立ち上げられるところです。

iPad のマルチタスク機能を使うと、複数のアプリを同時に操作したり、素早くアプリを切り替えたりできます。

「マルチタスキングメニュー」が画面上部に表示され、ボタン操作でマルチタスクの操作が簡単にできます。

マルチタスク機能をうまく使って、ワークスペースを快適に使いましょう。

ステージマネジャーの画面。

Split View

Split View を使うと、iPad の画面を 2 分割して 2 つのウィンドウを並べて表示できる。画面上部から下にスワイプしてアプリを指定すると Split View 画面になる。
アプリ間のドラッグ&ドロップ操作に便利な機能。

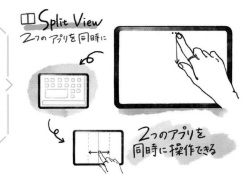

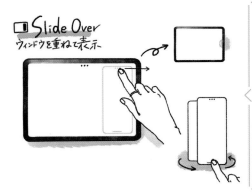

Slide Over

Slide Over は Split View と違い、ウィンドウを重ねて表示する。アプリを開いている状態で Dock にあるアプリアイコンを画面上にドラッグすると Slide Over に切り替わる。ウィンドウサイズは変更できないが、右か左の表示位置は移動できる。また右（左）端に向かってスワイプすると一時的にウィンドウを隠せるため、表示・非表示を切り替えながら作業をしたい時に便利な機能。Slide Over で表示するアプリを複数追加し、Slide Over のウィンドウ内でアプリを切り替えることもできる。

ステージマネージャ

ステージマネージャは「設定」>「ホーム画面とマルチタスク」>「ステージマネージャ」で設定のオン／オフを切り替える。また、コントロールセンターからも切り替えは可能。ステージマネージャを使うと、ウィンドウサイズを自由に調整でき、左側に複数アプリのウィンドウが表示されているので、アプリ切り替えもワンタップでできる。
さらに Dock も常に表示させることが可能（現在の Mac 画面そのもの）。

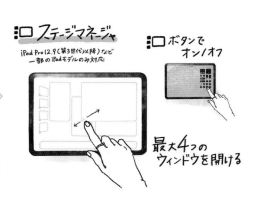

電子書籍で読書しながらメモ

Slider Over は読書をする時に便利。Kindle アプリで電子書籍を読みながらメモを残したい時は、Slide Over を使ってメモを起動する。Slide Over なら必要ない時はサッと非表示にできるため、本を読んでいる間は読書に集中でき、メモを書く時だけ呼び出せる。

プレゼンテーションの練習

Split View は、プレゼンテーションのリハーサルを行う場合などに使える。
Keynote でプレゼンテーション資料を実際に操作しながら、自分が話しているところを標準ボイスメモアプリで録音できるため、時間の調整はもちろん後から話し方などを客観的にチェックできる。
スライド資料を作成する場合なら、Keynote と写真アプリを同時に開いておくと、写真を簡単に資料に追加できる。

資料を引用してメールの作成

ファイルとメールを Split View で開けば、資料の中から引用したい部分をメール本文へ簡単に挿入できる。ファイルで資料を開き、引用したい部分を範囲選択し、そのままメール本文へドラッグ＆ドロップすれば、選択していた文字列がペーストされる。

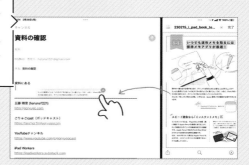

ウィンドウの切り替え操作

画面の上部にある「…」（「マルチタスキングメニュー」のアイコン）をタップすると、画面表示をフルスクリーンの他に Split View、Slide Over に素早く切り替えられます。

たとえば、Split View を選択すると、最初に起動したアプリの画面がいったん右側に隠れ、同時に作業したい 2 つ目のアプリをホーム画面や Dock から選ぶと、2 つのアプリが左右に並ぶ画面表示になります。画面の分割位置は 1 対 1、2 対 1 に切り替えられます。

「マルチタスキングメニュー」のアイコンをタップすると表示される画面。

COLUMN

Spotlight 検索からアプリの起動

iPad にキーボードを接続している場合、アプリを開いている状態で「⌘+スペース」で Spotlight を起動し（p.171 を参照）、検索し

てもう 1 つのアプリを直接 Split View で開くことができます。

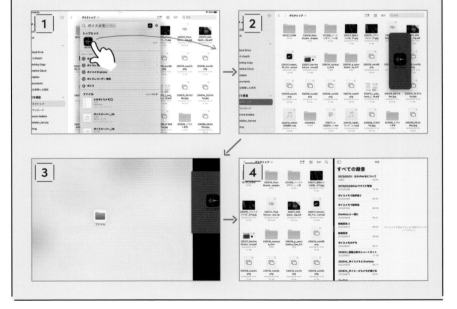

知っていると便利な
iPad独自のジェスチャ操作

iPadでは複数の指を使ったジェスチャ操作が可能です。

一部のジェスチャ操作はiPhoneでも同じように使用可能ですが、画面サイズが小さいのであまり快適には動作しません。iPadのように画面の大きさがある方が、両手での操作や1〜4本の指を使ったジェスチャ操作が簡単にできます。

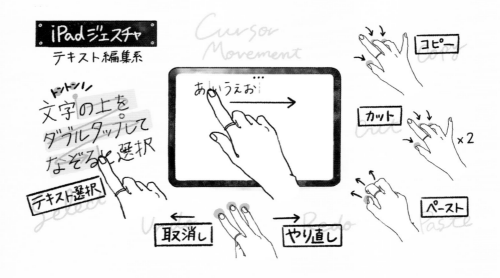

テキスト編集系のジェスチャ

テキスト編集時によく使用する、コピーやペーストなどはすべてジェスチャ操作が可能です。

3本指でダブルタップすると、直前の動作を「取り消し」ます。また、3本指で左に向かってスワイプすると「取り消し」、右に向かってスワイプすると「やり直し」など覚えておくとちょっとした操作が素早く行えます。カットやコピー、ペーストなどの操作はタップして表示されるメニューからでも操作できますが、ジェスチャ操作なら1アクションで済みます。

テキストを選択した状態で、3本の指を1回ピンチクローズすると「コピー」、2回ピンチクローズすると「カット」、逆に3本の指をピンチオープンすると「ペースト」できます。

一度に全部覚えようとすると大変なので、3本指で左右にスワイプするジェスチャから身に付けるといいでしょう。テキスト入力時以外にも使える場面が多いです。

3本指で画面をロングタップすると上部にメニューが表示される。

memo **3本指を使ったジェスチャ紹介動画**

コピー・ペースト・取り消しも3本指のジェスチャ操作で出来る！
iPadOSで追加されたテキスト編集のジェスチャ紹介！

https://youtu.be/
tm3AeLP9pgQ

タップの回数で選択範囲が変わる

テキスト選択時にも便利なジェスチャ操作があります。文字の上をダブルタップ（2回タップ）で「単語選択」、トリプルタップ（3回タップ）で「段落選択」が可能です。

文字入力箇所となるカーソルはドラッグで好きな場所に移動できます。

マルチタスク系のジェスチャ

4本または5本の指でiPadの画面を左右にスワイプすると、開いているアプリの切り替えが可能です。

複数のアプリを行き来しながら使用する場合に重宝します。画面の下端を1本の指で左右にスワイプ（ホームボタンのあるiPadの場合は、少し弧を描くようにスワイプ）しても、同じようにアプリの切り替えが

できますが、画面の下にメニューボタンやツールバーがあると誤動作しやすいので4本または5本指での操作がおすすめです。

4本または5本の指でピンチクローズすると、アプリが閉じてホーム画面に戻ります。ピンチクローズを途中で止めるとAppスイッチャーが開きます。

アプリを素早く見つける
検索と整理術

アプリを探す手間を減らす

インストールされたアプリの数が増えすぎて、いざ使おうとした時に目的のアプリがなかなか見つからないといったことはありませんか? iPadには、目的のアプリを簡単に探すことができる設定や機能が組み込まれています。ここからは、インストールされたアプリの検索と整理術について紹介します。

検索からアプリを探す

検索機能は、ロック画面やホーム画面などさまざまな場所から簡単に呼び出せます。ホーム画面またはロック画面の中央から下に向かってスワイプすると、検索ウィンドウが表示されます。

検索を使うと、アプリだけでなくファイルや写真、他にも対応アプリならアプリを開かなくてもアプリ内検索ができます。アプリの起動やファイル検索の際に、非常に便利な機能です。

画面上部からだと通知センターが開いてしまうので、少し下からスワイプする。

検索結果としてアプリや Web 検索結果が表示される。

App ライブラリでアプリを探す

App ライブラリは、ホーム画面をさらに左へスワイプすると表示されます。App ライブラリでは、アプリがカテゴリ別に自動で整理された状態になっています。よく使うアプリは、提案カテゴリに含まれたり、カテゴリ内でも大きなアプリアイコンで表示されたりする

ので簡単に見つけられます。

App ライブラリからドラッグ&ドロップ操作でホーム画面に追加もできるので、後からアプリをホーム画面に追加するのも簡単です。

右下の細かなアイコン部分をタップすると、カテゴリーに含まれるすべてのアプリが表示される。

ホーム画面のページ数を減らす

いくら検索機能が優秀といっても、ホーム画面がアプリでごちゃごちゃすると使い勝手が悪くなります。ホーム画面のページ数が増えれば増えるほど、アプリを探す手間がかか

るので、ホーム画面には必要最低限の厳選したアプリのみ配置します。ホーム画面に表示する必要がないアプリは App ライブラリのみに追加することもできます。

ホーム画面とマルチタスク	
ホーム画面	
大きいApp アイコンを使用	⬤
新規ダウンロード APP	
ホーム画面に追加	
App ライブラリのみ	✓
DOCK	
App ライブラリを Dock に表示	⬤
おすすめApp/最近使用した App を Dock に表示	◯

「設定」>「ホーム画面とマルチタスク」>「App ライブラリのみ」をチェック。

アプリごとの編集

アプリアイコンをロングタップすると、メニューが表示される。メニューから「ホーム画面を編集」をタップすると、アプリの削除やウィジェットの追加ができます（アプリアイコンのないところで画面をロングタップすることでもホーム画面の編集になる）。

ホーム画面にあるアプリアイコンをロングタップした画面。

ホーム画面の ページ単位で非表示にする

ホーム画面下部にあるドットをタップすると、ホーム画面のページごと非表示にできる。

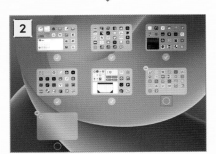

非表示にしたいホーム画面のチェックマークを外す。「−」ボタンをタップすると、ホーム画面ごと削除もできる。その場合、アプリは iPad から削除されずに残る。

「このページを削除しますか？」で「削除」をタップする。

「Launcher」で1画面に集約する

ホーム画面のページ数を少なくするには、アプリアイコンをホーム画面から消して、検索やApp ライブラリから起動する方法が一般的です。他にも Launcher というアプリを使って、1画面内に通常より多くのアプリを並べることもできます。「Launcher」なら特

大ウィジェットは有料課金が必要ですが、小〜大サイズ（最大16個のアプリ）のウィジェットは無料でも使用可能です。

好きなアプリやよく見る Web ページなどをウィジェットから素早く起動できます。

Launcher のインストール画面。

使用するアプリ

Lancher

iPhone または iPad のロック画面やホーム画面をカスタマイズするアプリ。通常のホーム画面よりも多くのアプリが並べられることが大きな特徴。

Cromulent Labs
無料
App 内課金あり

---

iPad mini には Launcher は不向き

iPad mini だと画面が小さく、ウィジェット内のアプリアイコンがかなり小さくなってしまうので、操作性が悪くあまりおすすめしない。画面サイズの小さいモデルは、通常のフォルダ管理の方がアプリアイコンをタップしやすい。

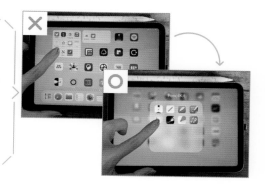

手書き機能を使いこなすための設定と操作

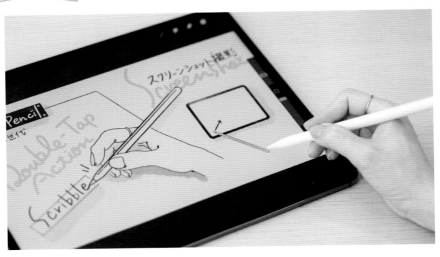

　ここからは、2章以降で紹介する活用術の中で、事前に設定しておく必要のある標準メモアプリや Apple Pencil の設定について紹介します。iPad 最大の魅力である「手書き機能」を活用するためには、ぜひ知っておいて欲しい内容です。

意外と知らない Apple Pencil の設定

　iPad と一緒に Apple Pencil を使っているなら、一度 Apple Pencil の設定画面も確認しておくといいでしょう。

　ペンシルジェスチャと言われる、左下隅スワイプや右下隅スワイプなど、画面下隅から中央に向かって Apple Pencil でスワイプしたときのアクションを設定アプリから変更できます。

ペンシルジェスチャの設定は、「設定] > 「Apple Pencil」から行う。

Apple Pencil で
スクリーンショット撮影

iPad はスクリーンショットが簡単に撮影できることも魅力の1つ。トップボタンとボリュームボタンの同時押し（ホームボタンのある iPad の場合、トップボタンとホームボタンを同時押し）よりも Apple Pencil を使ったスクリーンショット撮影の方が手軽。
「設定アプリ」でペンシルジェスチャの設定をすれば、画面の左下隅から中央に向かってスワイプすることでスクリーンショットが撮影できる。

ダブルタップの設定も要チェック

Apple Pencil（第2世代）を持っている人なら、ダブルタップの操作を自分の使いやすいように設定しておくことも大切です。「設定」>「Apple Pencil」から設定できます。アプリによってはアプリ内で別の操作を割り当てられるものもあります。

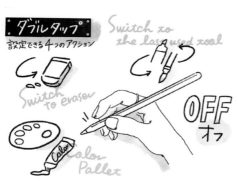

ダブルタップで
行える4つの操作

ダブルタップに割り当てられる操作は4つある。iPad の画面でメニューボタンを押してツールを切り替えたり、カラーパレットを開かなくても、ペンだけで操作ができるので慣れるととても便利な機能。

Scribble － スクリブル

Scribble（スクリブル）は、手書きで書いた文字をテキストに変換できる Apple Pencil の機能です。

Scribble はデフォルトでオンになっていますが、設定（「設定」>「Apple Pencil」）でオフにもできます。

Scribble を使用するには、テキストボックス、「Safari」の検索バー、スポットライト検索などの Scribble 対応アプリでテキスト入力領域に Apple Pencil で書き込みます。

Scribbleでできるその他のアクション

■ 単語を削除するには、対象の単語をこする。

> 単語を削除

■ テキストを挿入するには、テキスト領域をタッチして押さえたままの状態で、開いたスペースに書き込む。

■ 文字をつなげる・切り離すには、文字の間に縦線を描く。

> 文字を｜つなげる

■ テキストを選択するには、テキストを円で囲むか、テキストに下線を入れる。すると、テキストが選択されて編集オプションが表示される。選択範囲を変更するには、選択したテキストの先頭または末尾からドラッグする。

> テキスト選択
> or
> テキスト選択

■ 段落を選択するには、段落内の単語をトリプルタップするか、段落上をドラッグする。

---

memo ┆ 公式ページを確認する

Apple の公式サイトにも Scribble でできるアクションが掲載されています。

iPad でスクリブルを使ってテキストを入力する – Apple サポート（日本）
URL：https://support.apple.com/ja-jp/guide/ipad/ipad355ab2a7/ipados

テキストとしてコピー

標準メモアプリなどでは、手書きで書いた文字のテキストコピーが可能です。Scribbleとは違い、手書きの文字として書いたものをテキストに変換します。

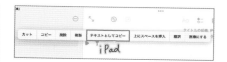

COLUMN

PencilKit の話①

── PencilKit とは ──

PencilKit は Apple が提供しているツールキットで、サードパーティアプリでも Apple Pencil を活用できるようになるフレームワークです。コードを3行書くだけで、標準メモアプリと同じ手書き機能が使えるようになります（WWDC 2019 で発表されました）。

Apple の発表から3年ほどで手書き機能を持ったアプリが爆発的に増えています。

私がサードパーティアプリを選ぶ時は、PencilKit に対応しているかも大きなポイントです。

Apple 標準の鉛筆ツールの書き心地が個人的に好きなことも理由の1つですが、もう1つ PencilKit に対応しているアプリを選ぶ理由があります。

PencilKit

Apple が 提供 している
手書き用 ツールキット

── PencilKit のメリット ──

PencilKit を組み込んだアプリ同士なら、手書きで書いた文字や絵が簡単にコピー＆ペーストできます。

画像書き出し・読み込みなどをしなくても、選択ツールで範囲指定しコピー＆ペーストすれば別アプリで編集できるのです。再編集可能な状態で書いたものを動かせることがポイントです。

PencilKit メリット

データのやりとりが可能
Pencil Kit同士のアプリなら編集可能な状態でやりとりできる

○△× ➡ ○△×

PencilKit の話②

PencilKit アプリの活用

標準メモアプリは多機能で、とても便利なアプリです。さらに画面ロック状態からメモが取れるインスタントメモや、コントロールセンターからの起動、クイックメモなどがあります。これらは標準メモアプリにしか使えません。しかし、万能ではなく、たとえば、画面を拡大して細かい部分を書くことや、書いたものを拡大縮小はできません。

こういった足りない機能は別のアプリで補うことこそ、iPad をうまく使いこなすうえでの重要な考え方になります。

アプリを複数組み合わせる時、特に手書きで書いたデータにおいては「PencilKit 対応かどうか」によって使い勝手がかなり変わります。

基本は Apple のメモ

インスタント メモ
クイックメモ
テキスト 変換
コントロール センターからの 起動
翻訳

Apple Pencil で手書きをすることが多い人は特に、PencilKit が役に立ちます。たとえば、手書き文字をテキスト変換する機能のないアプリを使用していた場合でも、PencilKit 対応であれば標準メモアプリにデータを移動させ、「テキストとしてコピー」が使えます。あとは好きなアプリでペーストすればテキストとして

貼り付けできます。

PencilKit を組み込んだアプリ同士であれば、ファイルを書き出す必要もありません。Split View 表示にすればドラッグ＆ドロップで簡単にデータをやり取りできるのです。PencilKit を軸に使うアプリを選ぶと、iPad がより使いやすくなります。

iPad1 台で完結を目指す方法

iPad には数多くのアプリがあります。それぞれのアプリに得意なこと不得意なことがあるので、すべてをまかなえる万能アプリはなかなかありません。

そのため、私は「特定のアプリ 1 つだけで完結」ではなく「iPad 1 台で完結」を目指しています。

iPad つまり iPadOS がコア機能で、個々のアプリがアドオンのようなイメージです。

1 台の iPad の中に、自分が欲しい機能を満たしてくれるアプリを入れて、最終的には iPad が 1 台あれば自分のやりたいことが完結できる状態を目指せば、ある意味万能ツールになるのではないでしょうか。

2

誰もが使える
メモアプリの便利技

2-1 速攻メモには
標準メモアプリが最適！

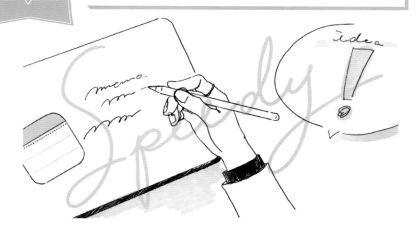

頭の中で考えていることを確実に残しておくなら、自分の頭の外へ書き出す必要があります。思い付いたことをすぐにメモするために必要なことは何でしょうか？

最も重要なことは「メモをすぐ手の届くところに置くこと」です。つまり、iPad が常に手の届く場所にあり、すぐにメモが取れる状態にしておくことが大切です。

iPad を「常にメモが取れる状態」にするには、標準メモアプリの機能が必要不可欠です。

使 用 す る ア プ リ

メモ

Apple 標準のメモアプリ。インスタントメモや、クイックメモなどすぐにメモにアクセスできる機能がある。

—————— 無料

スピード勝負なら「インスタントメモ」

「インスタントメモ」とは、iPad のロック画面から Apple Pencil を画面に当てることで、すぐにメモを新規作成できる機能です。Apple Pencil 対応モデルの iPad ならどのモデルでも利用できる便利な機能です。

なお、3,000 円くらいで買える Apple Pencil もどきでは、このインスタントメモは使用できないので注意してください。

Apple Pencil（第 2 世代）対応モデルなら、スリープ状態の黒い画面からメモが起動します。私は、この機能を使った時に「紙のメモはもういらないな」と感じました。標準メモアプリに搭載されている機能で、最も便利だと思う機能 の1つです。

インスタントメモは設定アプリから「常に新規メモを作成」「最後のメモを再開」などが設定できます（設定方法は p.23 を参照）。用途に合わせて新規メモの作成時間などを設定すると、さらに使いやすさが向上します。た

とえば、1日1ページ、1つのメモにアイデアや記録を書き残したい場合は、「最後のメモを再開、新規メモの作成は明日以降」に設定します。逆に1アイデア1ノートで保存したい場合は、「常に新規メモを作成」を設定します。

読書メモの場合は、「最後のメモを再開、15分後に新規メモを作成」がおすすめ。本を読む→メモを取るを繰り返す読書中は、15分以内なら同じメモに追記できるので1冊の本のメモが1つにまとまる。

 Apple Pencil の代わりに使えるスタイラスペン

Apple Pencil（第2世代の場合、税込 19,880 円）とほぼ同じように使えるスタイラスペンが 3,000 〜 4,000 円程度で買えます。純正の Apple Pencil との大きな違いは「筆圧感知」がないことです。絵ではなく文字メインで使用する場合はこちらもおすすめです。

iPad 本体から充電できる 3,000 円のジェネリック Apple Pencil
https://ipadworkers.substack.com/p/iwpodcast-51

3,000 円で買える Apple Pencil みたいなスタイラスペン
https://ipadworkers.substack.com/p/210420nl

---

iPad の操作中には「クイックメモ」

iPad を使用している時なら、ホーム画面でも各アプリからでも画面の右下隅から起動できる「クイックメモ」で素早くメモを残せます。クイックメモは Apple Pencil 以外のスタイラスペンや指での操作でも起動可能です。

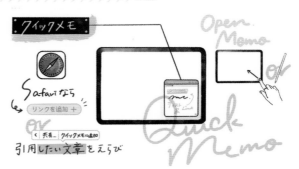

コンテンツへのリンクを追加

対応アプリなら、「リンクを追加+」ボタンからコンテンツへのリンクを追加できるところもクイックメモならではの機能。Safari 以外にもメールアプリの Spark やノートアプリの GoodNotes5 などはクイックメモに対応している。

Web ページの引用もできる

Safari の場合、Web ページへのリンクだけでなくページ内の指定箇所を抜き出してクイックメモへ追加する機能もある。
メモに追加したい箇所を選択した後、ポップアップメニューから「新規クイックメモ」や「クイックメモに追加」で追加。選択箇所が引用された状態でクイックメモに追加される。

追加した箇所がすぐわかる

クイックメモに追加した箇所はハイライトされ、クイックメモのリンクをタップするとハイライトされた部分がフォーカスされた状態で表示されるので、長い Web ページでも該当箇所を簡単に探せる。

---

memo ┊ **クイックメモはこんな場面でも使える！**

Safari で Web ページを見ている時や、Kindle やブックアプリで電子書籍を読んでいる時のメモにクイックメモを使用できます。
右側に向かってクイックメモをスワイプすると、一時的にメモを隠せるので邪魔になりにくいです。右端から中央に向かってスワイプするか、画面端の「<」マークをタップすればメモが再度表示されます。

コントロールセンターからの起動

　通常アプリを起動するには、ホーム画面から直接アプリアイコンをタップするか、検索機能を使う方法しかありません。

　その点、標準メモアプリはロック画面やコントロールセンターから起動できるので、アプリアイコンを探す手間がかかりません。

　これは Apple 標準アプリだけの強みであり、Apple 標準アプリを使うメリットです。また、アプリアイコンをロングタップすることで、アプリを開かずに特定の操作が可能なアプリもあります。

ホーム画面上のアプリアイコンをロングタップするとメニューが表示される。

コントロールセンターから標準メモアプリを起動する方法

右上にあるコントロールセンターに「メモ」を追加しておくと、コントロールセンターから標準メモアプリが立ち上がる。コントロールセンターの設定方法は、p.23 を参照。

コントロールセンターのアイコンをロングタップすると「新規メモ」以外にもチェックリストや書類スキャンモードで起動できる。

最速でメモを取れる環境を用意する

　「すぐにメモが取れる」という点では、標準メモアプリが最強です。インスタントメモ・クイックメモ・コントロールセンターからの起動など、それぞれのメリットや機能を知ることで、アイデアやメモをより残しやすくなります。

　iPad を使って最速でメモを取れる環境を作りたいのであれば、インスタントメモやクイックメモといった便利な機能を知ること、そして自分が使いやすいようにきちんと設定することが大切です。

Webページのリンクの追加と開き方

標準メモアプリの「添付ファイルを表示」では、メモに追加されている Web サイトのリンクだけを一覧で表示できます（p.60 を参照）。そのため、標準メモアプリに参考資料になる Web ページを集めておくという使い方もおすすめです。

メモに Web ページのリンクを追加することも、集めた Web ページをリンクから開くことも Split View を使えばドラッグ＆ドロップするだけで簡単にできます。

Webページのリンクを標準メモアプリに追加

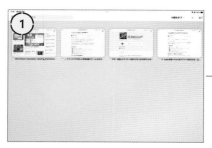

Safari のタブで追加したいページを開き、右上のタブ表示ボタンからタブ一覧を表示する。

上部の「…」から「Split View」を選択。

標準メモアプリでメモを開く。1 個のタブをドラッグした状態で、残りのタブをタップすると複数選択できる。

そのまま複数タブ選択状態でメモ側へドラッグ＆ドロップする。サムネイル画像付きのリンクがメモに追加される。

メモに追加したリンクを開く

標準メモアプリに追加した Safari のリンクはドラッグ&ドロップするとそのまま Split View で開ける。

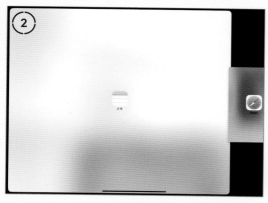

ウィンドウ表示になるまで右 or 左端まで持っていく。

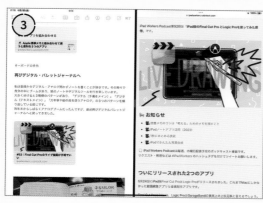

Web ページを見ながらすぐにメモが取れる。

メモの整理には
タグ機能が使える

　思い付いたアイデアなどをすぐにメモするようになると、必然的にメモの数が増えていきます。ここでは標準メモアプリに保存された走り書きを、後からちゃんと活用できる情報として整理する簡単な方法を紹介します。

メモを整理するタグ機能

　標準メモアプリや標準リマインダーアプリには「タグ機能」があります。タグ機能は、メモ内に「#○○」と入力することでメモをキーワードでタグ付けします。フォルダによる分類以外のもう1つのメモ分類機能です。

　わざわざフォルダを作るほどではないけれど、同じ内容に関するメモが複数ある場合は、タグ機能を使うと便利です。

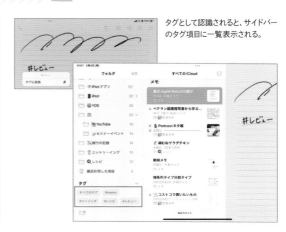

タグとして認識されると、サイドバーのタグ項目に一覧表示される。

手書き文字もタグに変換できる

手書きで書いたものも「タグに変換」というメニューを選ぶことでタグ認識される。しかし、「タグに変換」を実行しないと、タグ付きメモとして表示されないので注意。
また、標準メモアプリの手書き文字認識の精度があまり高くないため、書き方によっては意図しないタグに変換されることがある。

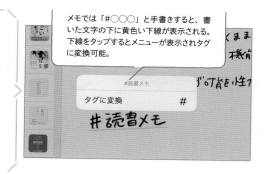

メモでは「#○○○」と手書きすると、書いた文字の下に黄色い下線が表示される。下線をタップするとメニューが表示されタグに変換可能。

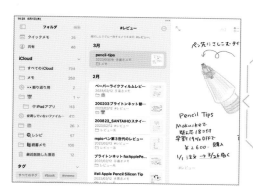

フォルダーをまたいで検索できる

メモが分かれていたり、フォルダーが違っていても、タグ機能で絞り込めば、一覧表示ができる。

1つのメモに複数のタグを付けられる

1つのメモに複数のタグを追加できる。フォルダによる分類では、どれか1つを選ばなければならないが、タグによる分類ならその必要もない。タグによる検索時にも、「#memo」と「# 読書メモ」のメモといった AND 検索もできる。

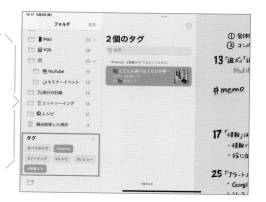

「タグに変換」メニューが出ない原因

手書きでタグを作る場合に、書き方によっては「下線が表示されない」こともあり、その場合は「タグに変換」メニューが使えません。下線が表示されない原因はいくつかあります。

原因 1
「#」が「井」と認識される

下線が表示されないのは、#（シャープ）を井（漢字）と認識されていることが原因。
「#」と認識されるように書き直しをする必要がある。

原因 2
略字を誤認識される

略字などは意図した文字として認識してくれない場合もある。たとえば、「書」を書くスピードを重視して横棒2本を省略して書くと、「読書」ではなく「読昌」と認識され、別のタグ扱いになる。

タグを使いこなすコツ

タグとして認識されない、または意図した文字として認識されない問題を回避するには、日本語ではなく英語でタグを書くようにします。

英語（アルファベット）は日本語に比べて文字認識の精度が高いので、タグとして認識されないという悩みは減ります。

「#book」には下線が表示され、タグとして認識されている。#（シャープ）＋数字だけの組み合わせも認識されないことが多いので注意。

テキスト入力の場合なら、「#」を入力すると予測変換エリアに直近で使用したタグが候補として表示されるので、異なる表記で同じようなタグが重複するのを避けられる。

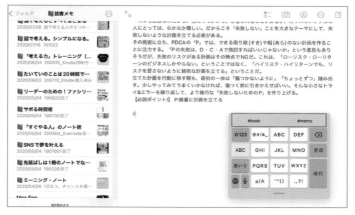

タグは必要最低限での運用がおすすめ

標準メモアプリは情報のストックにはあまり向いていないので、何でもメモに保存するというよりは、一時的なメモの保管場所としての使用にとどめておいた方が安全です。

タグに関しても、たくさんタグを作成して管理するというよりは、関連性のある一時メモを1つにまとめて使用する場合に便利な機能として使うことをおすすめします。

たとえば、旅行や家の引っ越しなどで、必要な情報を色々とクリップし、タグでひとまとめに見られるようにしておいて、プロジェクトが終わったらメモ自体をアーカイブしたり削除したりするような運用です。

指定したタグの付いたメモだけを表示させたり、スマートフォルダ機能も併せて使ったりすると便利です。

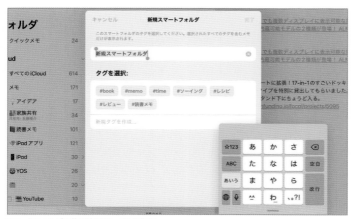

スマートフォルダの作成方法は p.51 を参照。

2-3 見返しやすいメモ管理術

集めた情報を活用しやすいように管理する

集めた情報を放置しない仕組みや、特定のメモを見返しやすくするための
メモの管理術を紹介します。この機能やテクニックを知っておくと、標準
メモアプリをより使いこなせるようになります。

必要最低限のフォルダ＋スマートフォルダ

標準メモアプリにはフォルダ機能があります。よく見るメモや、特定ジャンルのメモはフォルダに分けておいた方が使いやすいことも多いです。

一方で、フォルダをたくさん作りすぎてしまうと、メモがどこに入っているのかわからなく

なる確率も高まります。そこでおすすめなのが「スマートフォルダ」の使用です。スマートフォルダなら、1つのメモを複数の場所で表示させることができ、特定の条件で絞り込むことができるので、後からメモが見返しやすくなります。

スマートフォルダで使用していないメモを整理する

サイドバーの新規フォルダ作成ボタンからスマートフォルダを作成する。フォルダ名を入力したら「スマートフォルダに変換」をタップする。

たとえば、1年以上編集していないメモの整理もスマートフォルダを使えば簡単。編集日からカスタム>この日付より前を選択する。

カレンダーから1年前の日付を選ぶ。日付テキスト部分をタップすれば直接入力も可能。

> **POINT**
>
> 「スマートフォルダに変換」をタップすると、フィルタの設定が可能です。作成日や添付ファイルの有無など、さまざま条件が設定できます。また、フィルタは複数設定できます。特定のフォルダ内のメモは除くなど細かくカスタマイズ可能です。

スマートフォルダの条件の変更

サイドバー上のスマートフォルダをロングタップして表示されるメニューから「スマートフォルダを編集」をタップすると、一度設定した後のスマートフォルダの条件を後から変更できる。

保存と振り返りはセットで行う

　情報をiPadに保存したまま放置しないようにするには、後から振り返りやすいように保存することと、保存したものを見返す習慣が必要です。

　Webページのリンクなどは、リンク情報だけでは、時間が経つとどういう目的で保存したのか自分自身でもわからなくなります。見返したタイミングで再度ページを表示し、引用したり、自分の言葉でコメントを付けたりすることで、より密度の高いメモになります。

　標準メモアプリのスマートフォルダを使えば、1週間以内に作成したメモだけを表示できます。

1週間以内に振り返る

一時保存した情報を1週間以内に振り返りたい場合、スマートフォルダで作成日「7日以内」のフィルタを設定して、1週間以内に作成したメモだけを集めればいい。

日付指定でメモの表示を切り替える

右上の「…」から「日付でグループ化」をオンにする。日付でグループ化をオンにすると、「今日」「昨日」「過去7日間」「過去30日間」「○○○○年」といったグループごとにメモが表示されるようになる。

次に、右上の「…」から「表示順序」>「編集日」>「古い順」を選択。この設定を行うことで、7日以内に作成されたメモの中でも、未編集のものが上に表示されるようになる。

会議資料を指定の時間に開く

標準メモアプリにはリマインド機能はありませんが、標準リマインダーアプリと組み合わせれば特定の日時に通知を送れます。

たとえば、会議や打ち合わせの時間に合わせて、事前に作成しておいた会議用メモが開くように通知を設定しておけば、準備に慌てることもありません。

「指定日に特定のメモを開く」ことはショートカットアプリを使ってもできますが、やや手間がかかります。その点標準リマインダーアプリと標準メモアプリの組み合わせであれば、Split View 状態でドラッグ＆ドロップするだけです。

おすすめアプリ

リマインダー

Apple 標準のリマインダーアプリ。リマインダーにフラグやメモ、添付ファイルなどを追加できる。

—— 無料

メモをリマインダーに追加する

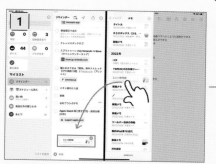

特定のメモをリマインダーに追加するには Split View を使用する。標準リマインダーアプリと標準メモアプリを開き、メモ項目をリマインダー側にドラッグ＆ドロップで追加する。

リマインダー項目にはメモのタイトルが自動で入る。右側にアプリアイコンが表示され、アイコンをタップするとメモが開く。

項目の右側に表示される「i」をタップし、日時設定を行う。リマインダー上で日時を設定すれば、指定日にメモを表示できる。

「毎週」繰り返しの設定をしておけば、振り返りの習慣を取り入れやすい。

よく使うメモをピンで固定する

メモをピンで固定すると、「ピンで固定」という項目が追加され、リストの最上部に表示されます。頻繁に使うメモやすぐに確認したいメモなど特定のメモはピン留め機能が便利

です。ただし、ピン固定したメモもあまり数が増えすぎると、逆に探しにくくなってしまうので、最大でも3個程度に抑えておく方がいいでしょう。

ピンで固定したメモは画面の左側にある「リスト」の1番上に表示されるので、メモを開けば毎回に目に入る。

ピンで固定する方法 📌

方法1 ＞ メモの上部メニューから

メモの右上「…」から「ピンで固定」をタップすると、そのメモはピンで固定され、フォルダの中でも1番上に固定される。ピン固定を解除する時は「…」から「ピン固定を解除」をタップする。

方法2 ＞ リスト表示から

リスト表示の場合、メモのタイトル部分を左から右へスワイプするとピンのマークが表示される。そのまま右へグッとスワイプしきるか、ピンのアイコン部分をタップするとメモがピンで固定される。ピンで固定されたメモのタイトルを左から右へスワイプすると、ピン固定が解除される。

ウィジェットを使ってホーム画面にメモを追加する

　メモに素早くアクセスするには、ピン固定以外にもウィジェットを使用する方法もあります。

　私は、毎週配信しているポッドキャストのネタ帳メモをホーム画面にウィジェットとして配置することで、「これはポッドキャストのネタになりそうかも」と思い付いた時にすぐ追記できるようにしています。

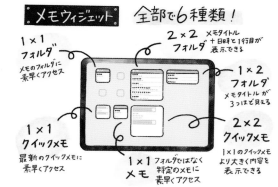

メモウィジェット　全部で6種類！

1×1 フォルダ
メモのフォルダに素早くアクセス

2×2 フォルダ
メモタイトル＋日時と1行目が表示できる

1×2 フォルダ
メモタイトルが3つほど見える

1×1 クイックメモ
最新のクイックメモに素早くアクセス

1×1 メモ
フォルダではなく特定のメモに素早くアクセス

2×2 クイックメモ
1×1のクイックメモより大きく内容を表示できる

メモのウィジェットを追加する

1

ホーム画面の編集から、左上の「＋」ボタンをタップする（ホーム画面の編集については p.32 を参照）。

2

サイドバーにウィジェットに対応したアプリが表示される。その中から「メモ」をタップし、「＋ウィジェットを追加」をタップする。

3

追加されたウィジェットはアプリアイコンと同じように好きな場所に配置可能。

4

同じ標準メモアプリのメモのウィジェットを複数個配置することもできる。

不要なメモは整理する

　1年以上編集していないメモは、多くが自分にとって必要のなかったメモです。思い切って削除してしまった方が、アクティブなメモが使いやすくなります。邪魔なメモが増えれば増えるほど、検索ノイズになるからです。

メモ選択画面中に表示されるメニューから「すべて削除」をタップすると不要なメモを一括で削除できる。

削除したメモを元に戻す

　削除したメモは「最近削除した項目」へ移動され、30日経つと自動的に完全削除されます。間違えて削除してしまった場合は、「移動」メニューを使って別のフォルダに移動させます。なお、「最近削除した項目」にあるメモを再度削除すれば、任意のタイミングで完全削除を実行できます。

　ただし、完全削除の操作は取り消すことができないので、注意しましょう。

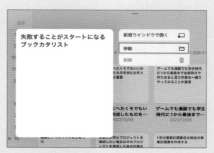

メモをロングタップすると、表示されるメニューから移動できる。

サイドバーの表示を整理する

　標準メモアプリのフォルダは、フォルダの中にフォルダを入れる入れ子構造にできます。フォルダ内にフォルダを入れると、折り畳むことができるようになるので、複数フォルダを使用する場合はサイドバーの表示をすっきりさせられます。

フォルダを直接ドラッグすることで、フォルダの表示順序を変更したり、フォルダの中にフォルダを移動させることができる（格納したいフォルダ名の上に指を持っていく）。

フォルダーを入れ子構造にする

サイドバーのフォルダ名を右から左に向かってスワイプするとメニューが表示される。紫色のフォルダボタンをタップすると、フォルダの移動が可能。

任意のフォルダを選択すると、フォルダの中にフォルダが格納される。

POINT

　フォルダは必要最低限で運用し、後はスマートフォルダを使ってメモを探しやすい環境を整えましょう。タグ機能とスマートフォルダ機能を併せて使うと、メモの見返しが便利になります。

2-4 目的の資料を1秒で探す方法

メモをキーワードで検索する

　紙のノートや資料と違って、iPadでメモを残すメリットは「検索」が手軽にできることです。標準メモアプリなら、手書きで書いた文字もテキスト認識されるので、キーワード検索で手書きメモも探せます。

　他にもキーワード検索にプラスして、添付ファイル付きメモやチェックリスト付きのメモなどさまざまな条件で検索可能です。

　自分のメモやまとめた資料をさっと見つけ出せる探し方について紹介します。

メモを検索

標準メモアプリでメモを検索するには、メモ一覧の上部にある検索ウィンドウにキーワードを入力する。

検索ウィンドウをタップすると、候補に共有メモ、ロックされたメモ、チェックリスト付きメモ、タグ付きメモ、描画付きメモ、スキャンした書類付きメモ、添付ファイル付きメモが選べる。

手書きのメモから探す

手書きのメモを検索したい場合は、「描画付きメモ」をタップする。

さらに描画付きメモから特定キーワードで検索も可能。[描画]の後に検索したいキーワードを入力するだけで、「描画付き」かつ「打ち合わせ」というキーワードを含むメモのみが表示される。

メモをギャラリー表示にする

メモの表示にはリスト表示とギャラリー表示の2種類あります。ギャラリー表示にすると、メモの内容がサムネイル表示されるので、ざっと目視で探したい時はギャラリー表示に切り替えるといいでしょう。メモの中身を確認したいなら、拡大して1つのメモを大きく表示します。複数のメモを見渡したいなら、縮小して1画面にたくさん並べます。

メモ一覧の右上「…」から「ギャラリー表示」をタップする。

メモ一覧がリスト表示からギャラリー表示に切り替わる。

メモ表示の拡大

ギャラリー表示では、右上の「…」からメモの表示サイズを拡大・縮小できる。最大まで拡大するとノートの中身が大きくなり、メモを開かなくてもメモの内容を確認できるようになる。

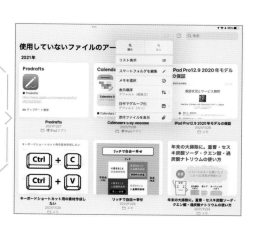

メモ表示の縮小

メモのギャラリー表示を最小にすると、1画面に多くのメモを表示できるようになる。

添付ファイルから探す

検索とは別に、メモ内の添付ファイルのみを表示する機能もあります。添付ファイルのみを表示すると、メモの中に添付されているファイルが種類ごとに一覧になります。

メモ一覧の右上にある「…」から「添付ファイルを表示」をタップする。

「写真とビデオ」、「スキャンしたドキュメント」、「リンク」、「オーディオ」、「PDFなどの書類データ」などに分類される。

すべての添付ファイルを一覧表示する

「添付ファイル」画面の「すべてを表示」をタップすると、分類ごとにすべての添付ファイルが表示される。

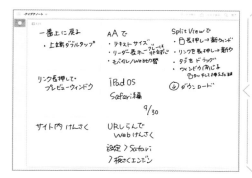

メモの中にある添付ファイルを開く

ファイル名をタップするとすぐにファイルが開く。長く続くメモに添付されたファイルの場合、ファイルが添付されている場所までスクロールしなければならないため、添付ファイルから開く方が早く簡単に開ける。右上の「メモで表示」をタップすれば、ファイルが添付されている元のメモが開く。

Spotlight でメモ検索

メモの中に含まれる要素や添付ファイルから検索する方法以外に、Spotlight でメモを検索することもできます。

ホーム画面またはロック画面の中央から下に向かってスワイプすると検索ウィンドウが表示されます。標準メモアプリ内の要素はSpotlight の検索対象です。

Spotlight の検索結果にある「App で検索」をタップする。

検索ウィンドウにキーワードが入力された状態で標準メモアプリが開く。

Spotlight で、検索した文字はテキストではなく手書きで書いた文字も検索対象になる。

情報をわかりやすく手早くまとめる

　考えを整理する時や、資料作成、情報をまとめる時などは「図解」を使うととてもスムーズに行えます。標準メモアプリには図解が簡単になる機能がたくさんあります。ここでは、図解する時に便利な機能を紹介します。

図解テクニック

　図解のメリットは、情報や思考を視覚化し、複雑な物事をシンプルに捉えられるようになることです。左下の文章と右下の図解、どちらがわかりやすいでしょうか? 図解の方が要素同士の関係性や全体の流れが見渡せます。

Why：なぜ図解するのか？

伝えたい情報を効果的に伝えるには？
読みとる＞まとめる＞伝えるの3ステップがある

読みとる、まとめる、伝える、全てのことが
図解を使うと簡単になる

なぜか？
→図は情報や思考を「視覚化」と「構造化」してくれる
→図で考えることで物事を抽象化してシンプルに捉えることができるようになる
→図は関係性の表現が簡単にできるから伝わりやすい
→図は記憶にも残りやすい

仕事・プライベート関わらず図解することで
外部からの情報を読み取り、自分の考えを整理し、正確に素早く
伝えることができるようになる

図解のメリットは、情報をわかりやすく伝えるだけではなく
自分の思考をまとめるためにも効果的

つまり図解は→伝えたい情報を効果的に伝える技術

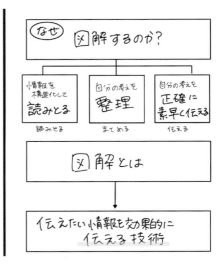

　図解にセンスは必要ありません。直線が書けて、要素分解ができれば誰でも身に付けられる技術です。iPad であれば、標準メモアプリで図形を手書きするときれいな図形に補正する機能があり、丸、三角、四角などの一般的な図形以外にもハートや雲のような形もきれいに描画できます。

　また、投げなわツールを使えば、後からきれいな図形に変換できます。iPad であれば、絵が上手い下手を気にせずに、本来の図解する目的である「物事を視覚化し理解する」ということに集中できます。図解が苦手な人は、物事をどう解釈するかをポイントに iPad の機能を活用して図解してみてください。

メモを取る時のポイント

メモは、自分が後から見返したときに見やすければいいので、私は色をたくさん使ったりしません。基本は黒で、記号をうまく組み合わせて書いています。後から見返してまとめる時や、違う意味のものだけ赤黄青を使います（ツールパレットにある基本色）。

ささっと手早く書けることを1番の目的としているので、丸や四角といった図形も手書きのままが多いですが、ペン先を離さずにしばらく押しっぱなしにしておくときれいな図になります。

また、書いていて気持ちいい（自分が好きな）書き味のペンツールを探すのも大事だと思います。私は、もともと鉛筆で書いたような質感が好きなので、そういった点でも標準メモアプリは鉛筆ツールがあり、気に入って使っています（同じ標準アプリでも iWork シリーズの鉛筆ツールは少し書き心地が違います）。

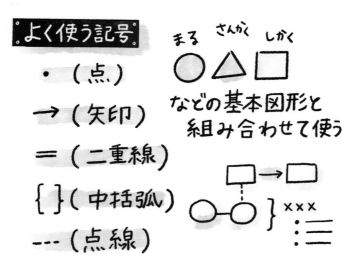

よく使う記号は、「・（点）」「→（矢印）」「＝（二重線）」「{}（中括弧）」や丸・三角・四角の図形など。

きれいなノートを作るための機能

デジタルノートの最大のメリットは修正が簡単なことです。アナログでは手間のかかる移動や複製、後から色を変えるなどの操作が簡単にできます。ここでは、効率よくきれいなノートを書く時に便利な、標準メモアプリの機能を紹介します。

手書きの図形をきれいに補正

標準メモアプリには特定の図形を補正する機能がある。描画やマークアップ中にペン先を離さず、1〜2秒画面をタップしたままにしておくとキレイな図形になる。

矢印（線）や星は一筆書きで書くのがポイント（Apple Pencilを途中で離さない）。

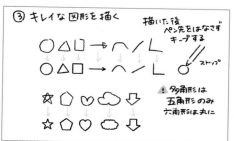

手書きを「図形に変換」

手書きの図形を、後から投げなわツール（範囲選択ツール）で選んで、きれいな図形に変換できる。ペンツールの中から投げなわツールを選択し、変換したい図形を囲ってタップした後に出てくる「図形に変換」メニューをタップする。図形と認識されない場合はメニューが出てこない。特定の図形は一筆書きで書かないと図形と認識されないので注意。

傾いた文字をまっすぐに補正

気が付くと文字が右肩上がりに傾いているといった場合でも、簡単に補正できる。書いた文字を選択した状態でポップアップメニューを表示し「直線にする」をタップすれば、書いた文字がまっすぐになるように補正される。

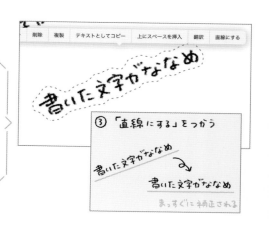

標準メモアプリは画面を拡大・縮小できない?

標準メモアプリはメモアプリとしておすすめするものの1つですが、1点だけどうしても気になる点がありました。それは、手書きメモを書いているときに画面を拡大・縮小して書けないことです。

iPadの便利なところは、画面を拡大・縮小（ピンチオープン・ピンチクローズ）することで、小さなものを拡大して見たり、逆に全体を俯瞰できるところです。

これは「見る」時だけではなく、「書く」時にも同じことが言えます。

アナログな紙とペンの場合、小さい文字が書きにくい場合がありますが、iPadなら画面を拡大した状態で文字を書くと、小さな文字も楽に書けます。

この「画面を拡大・縮小しながら文字を書く」行為が標準メモアプリではできません。ただし、画面表示方法を切り替えることでメモエリアのサイズをある程度は調整できます。

サイドバーの表示・非表示でメモエリアのサイズが変わる

標準メモアプリは3つのエリアで構成されています。フォルダやタグが表示されるサイドバー、メモ一覧画面、テキスト入力や描画ができるメモ本体のメモエリアの3つのエリアです。

メモエリアは、iPadの画面サイズに依存しますが、表示を切り替えることで3通りのサイズに変更できます。

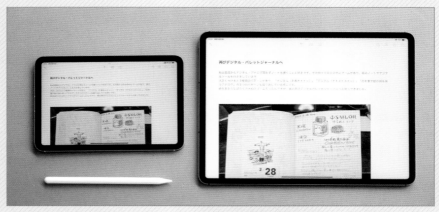

iPad mini（8.3インチ）（左）と iPad Pro12.9（右）で同じメモを全画面表示すると、約1.5倍の差がある。

メモエリアのサイズ

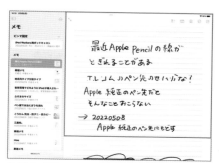

フォルダ画面（サイドバー）とメモ一覧が表示された状態だと画面の 1/2 がメモエリア。

サイドバーを閉じると画面の 2/3 がメモエリアに広がる。

メモエリアの左上にある矢印マークをタップすると、メモエリアが全画面表示に切り替わる。
再度、左上の矢印マークをタップすれば、メモエリアが 2/3 の状態に戻る。

---

memo | iPad mini は 3 カラム表示ではメモが書けない

iPad mini は画面が小さいため、3 カラム表示（サイドバー・メモ一覧・メモエリアの 3 列表示）の状態ではメモが書けません。メモの内容は一部見えていますが、少しグレーになっていて、タップした瞬間にサイドバーが自動的に閉じます。

読書時間が充実する
標準メモアプリの活用術

電子書籍なら物理的なスペースを必要としないので、何冊でもデータを入れておくことが可能です。また、紙の本であればページが閉じないように押さえておく必要がありますが、電子書籍の場合その必要もありません。iPadを使って読書をするメリットはそれ以外にもたくさんあります。

クイックメモで簡単読書メモ

クイックメモに「スクリーンショットを追加」というメニューがあることはご存知でしょうか? たとえば、Kindleアプリで電子書籍を読んでいる場合に、クイックメモを起動し「ス

クリーンショットを追加」をタップすると、スクリーンショットが追加されます。この時、画面上にあるクイックメモはスクリーンショット内には含まれません。

クイックメモを起動し、右上の「…」から「スクリーンショットを追加」をクリックする。

スクリーンショットにはクイックメモの表示は含まれない。

メモの非表示／終了

本を読んでいる時はクイックメモが邪魔になる。クイックメモは上部のバーを右か左へスワイプすると一時的に非表示にできるので、読書に集中できる。左上にある「完了」をタップするとクイックメモが閉じる。

メモの再表示

本を読む時はクイックメモをスワイプで一時的に隠し、スクリーンショットを追加したい時だけ再表示するといった使い方がおすすめ。画面の端に表示されるタブをタップすれば、メモが再び表示される。

オフラインで使える内蔵辞書

スーパー大辞林、ウィズダム英和／和英辞典など iPad には数多くのオフラインで使える辞書が内蔵されています。

設定アプリでチェックをオンにしておけば、その辞書を有効にできます（Apple 用語辞典などもある）。

「設定」＞「一般」＞「辞書」から辞書の有効化ができる。

辞書の使い方

使い方は簡単で、調べたい単語を選択→選択部分をタップしてポップアップメニューから「調べる」をタップする。すると、内蔵辞書内で検索され結果が表示される（下にグレーで小さく表示される文字が、検索元となる辞書名）。さらに結果をタップすれば、詳細が表示できる。

有料辞書アプリ

　有料アプリになりますが、Apple 標準以外の辞書アプリを使うと、もっと多くの辞書から調べることができます。おすすめのアプリは「辞書 by 物書堂」です。

アプリ内に 手書きキーボードが内蔵

物書堂辞書アプリはアプリ内に手書きキーボードが内蔵されているので、読めない文字も入力が簡単。たとえば紙の本を読んでいて、読み方がわからない場合に便利。また、子項目がリンクになっているのでさらに深く調べることができる。

おすすめアプリ

辞書 by 物書堂

有料辞書アプリ。「物書堂ストア」から辞書を購入する。物書堂辞書アプリのいいところは、「手書き文字でも検索できる」「検索した履歴が残る」「設定でクリップボードの内容を自動で検索できる」こと。

物書堂
無料　App 内課金あり

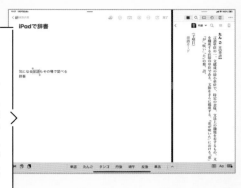

設定でクリップボードの内容を自動で検索

設定にある「クリップボード検索」をオンにすると、コピーした文字列が自動的に検索される。また、Split View で辞書アプリを開いたままの状態にしておくと、コピーした単語の意味をすぐに確認できる。Apple 標準の辞書機能だと単語をタップ→調べる→検索結果を表示（ポップアップで）なので、物書堂辞書アプリと比べて手間がかかる。

POINT

物書堂ストアは、新学期がスタートする時期になるとセールを行うので、内蔵辞書では物足りなくなってきた人や、専門的な辞書の種類を増やしたい人などは春ごろに購入するといいでしょう。また、英語なら『オックスフォード現代英英辞典』がおすすめです。用例や図解が多く、ネイティブ音声での読み上げも豊富です。

COLUMN

─── 調べながら読み書きするメリット ───

　私は、iPad で辞書を引きながら読み書きすると、理解が深まると感じています。

　小さい頃から読書に苦手意識があり、あまり本を読まずに大人になったため、「語彙力」があまり高くない状態でした。本を読んでいても、読み方がわからない熟語や、言葉の意味があいまいにしかわからないものが多かったのです。

　iPad を使いはじめてから、そういった言葉が出るたびに辞書機能を使うようになりました。そうすると、以前よりも内容がスムーズに頭に入るようになってきたのです。また、1度調べた言葉は、次からは調べなくても覚えていられるようにもなりました。

　意味がわからない単語があっても、前後の文脈で読み進めることはできますが、調べることで慣例や関連キーワードを知ることができ、より深く読み解くことができます。さらに、調べたことを元に、考えやアイデアも膨らみます。

　最初は「読み方や意味を調べる」ために辞書を引いていましたが、調べていくうちに、調べる行為が面白くなってきました。どんどん色々なことに興味がわいて、面白くなっていくのです。

　Web 記事や紙の本を読む時も、単に文章を読むだけでなく、「この言葉の意味は何だろう?」「他にどんな表現ができるだろうか?」と考えながら読むと、また違った面白さがあります。Apple 標準の辞書なら、無料で今すぐ使えますので、興味があれば、ぜひ試してみてください。

紙の本からリンクを開く

カメラアプリで書籍や書類などを撮影すると、右上にライブテキストアイコンが表示され、写真として保存する前の状態でもアクションが起こせます。リンクやメールアドレス、住所などは直接アクションが可能です。

たとえば、URL であれば「リンクを開く」メニューが使えます。紙の書籍では Web への誘導に QR コードを使用することが多いですが、iPad を使えば URL がテキストの状態でも Web ページを開けます。

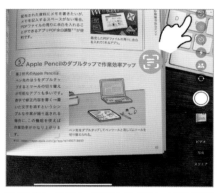

アイコンをタップすると、認識されているテキスト部分だけが表示される。

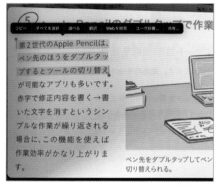

テキスト認識表示画面では、スワイプまたはタップしてテキストを選択可能。

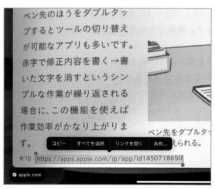

下線の付いている文字列か、左下に表示されるクイックアクションのボタンをタップするとすぐにリンクが開く。

> POINT
>
> テキスト認識表示をオフにするには「設定」>「カメラ」から「検出されたテキストを表示」をオフにします。

縦書きはテキスト認識されない

iPadOS の標準機能の1つ「テキスト認識機能」は、日本語には対応しているものの、日本語特有の縦書き文章には対応していません。

縦方向に並んだ文字はそもそもテキストとして認識してくれないことが多いです。

テキスト認識アイコンが表示されない。

おすすめアプリ

一太郎 Pad

カメラで撮影した画像や写真から自動で文字起こしをし、メモを作成するアプリ。縦書きの文章にも対応。また、簡易テキストエディタとしても使用できる。キー入力をアシストする「省入力ツール」で、時短入力も可能。

JUSTSYSTEMS
CORPORATION
無料

用途に合わせてツールを使い分ける

各アプリに得意・不得意があるように、標準機能にもできることとできないことがあります。

たとえば、テキスト認識なら縦書きの文章はうまく認識できませんが、その代わり写真アプリや標準ファイルアプリの中で1タップでテキストをコピーできる手軽さがあります。カメラから直接テキスト認識してしまえば、写真アプリに保存する必要もありません。

名刺や書類から住所登録、地図検索、Webページ参照、メール送信など、ちょっとしたテキストをコピーしたい時には便利な機能になるはずです。

用途に合わせて iPadOS の機能を使うか、それとも別のアプリを使うかを考えてみるといいでしょう。

---

memo | **テキスト認識表示対応のモデル**

iPad mini（第5世代）以降 | iPad（第8世代）以降 | iPad Air（第3世代）以降
iPad Pro 11インチ（全モデル）| iPad Pro 12.9インチ（第3世代）以降

スキマ時間に勉強がはかどるiPad技

　iPadを使えば5〜10分ほどのスキマ時間でも効率よく勉強ができます。新しいことを体系立てて学ぶにはスキマ時間は不向きですが、復習や暗記には向いています。

　iPadのクイックメモを使えば、どんな画面からも呼び出せるので、スキマ時間の有効活用にも最適です。

クイックメモでスキマ時間を復習と暗記タイムにする

　クイックメモはどんなアプリを開いている時でも、iPadの右下隅から中央に向かってスワイプすることで表示できます。

Apple Pencilでの操作はもちろん、
指での操作でもクイックメモを表示できる。

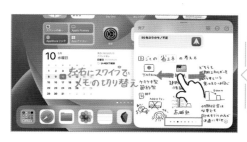

メモを暗記カードとして活用

クイックメモは左右にスワイプすると、メモを切り替えられる。暗記カードをめくるようにメモを切り替えていけば、復習や暗記が簡単にできる。

---

memo ┃ ## 切り替えられるのはクイックメモだけ

切り替えられるメモは、標準メモアプリのクイックメモ項目に入っているメモのみです。ナビゲーションの一番左が古いメモ、一番右が最新のメモというように表示されます。

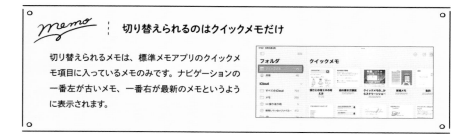

使用しなくなったメモは削除したり、フォルダに移動したりすることで、切り替えるメモの数を減らすことができ、さらに勉強の効率が上がります。

クイックメモは今すぐ使うメモや、復習や暗記などの学習以外にも、中長期で進めたいプロジェクトのノート置き場としても向いています。締め切りは特にない自分のことについて考えたいことや、決めたいことをメモのタイトルとして作成します。クイックメモを開いたタイミングや、メモをスワイプしたタイミングで目に入ったら、一言メモや参考 Web ページを追記します。すると、放置しがちな長期のプロジェクトでも少しずつ進むようになります。

クイックメモ以外で作成したメモは表示できないのか？

結論を先に言うと、クイックメモ以外で作成したメモ（通常の標準メモアプリで新規作成したメモ）もクイックメモで表示可能です。方法はシンプルで、クイックメモ項目にメモを移動するだけです。

クイックメモ項目に追加すれば、どんなアプリを開いている時でもさっと表示＆書き込みができるので「考えを深めたいこと」に使うと便利です。

どんなアプリを立ち上げていても、右下隅からのスワイプだけで起動できるところは、他のどんなアプリにも真似ができない、Apple標準アプリならではの特徴です。

標準メモアプリなら、ドキュメントスキャン機能もあるので、問題集やテストプリントなどから自分が間違えた箇所や苦手な部分だけをスキャンして自分専用の復習ノートを作ることもできます。

クイックメモをスワイプ操作で切り替えることができるのは今のところ iPad だけです。iPad を使えばスキマ時間を復習や暗記タイムにできます。

中央の列のメモ一覧からクイックメモ項目へドラッグ＆ドロップするだけでメモがクイックメモとして表示できるようになる。

リストの作成と
チェック機能の裏技

チェックリストはさまざまな場面で活躍します。たとえば、やることリスト、学習リスト、旅行の持ち物リスト、手順のある作業の進捗リストなどです。

標準メモアプリには箇条書きリストとチェックリスト機能があります。複雑な設定はできませんが、簡易なリストであれば標準メモアプリだけでも十分機能します。

他にもちょっと変わった使い方として、アウトライナーのような使い方もできます。工夫次第でタスク管理から文章執筆まで多岐にわたって便利に使える機能です。

指だけでできる標準メモアプリの快適操作

標準メモアプリは非常にシンプルなメモアプリでありながらも、表やリストといった機能まで使えます。さらに iPad は全面タッチデバイスということもあり、指やペンを使った操作がメインのデバイスです。そのためすべての操作が指やペンだけでも快適に操作できるように工夫されています。

たとえば、チェクリストを追加するには、上部のメニューにあるチェックリストアイコンをタップして文字を入力します。

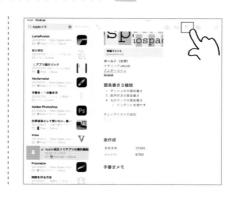

箇条書き3種類

- ダッシュ付の箇条書き
1. 数字付きの箇条書き
• 丸のマークの箇条書き
  ○ インデントを増やす

チェックリストの追加
◯ ツールバーのチェックリストアイコンをタップ
◯ Shift⇧ + Command⌘ + Lのショートカットキー
◯ |

チェックリストの解除

改行すると自動的に次の行もチェックリストになる。次の項目を何も入力していない状態で、再度改行するとチェックリストが解除される。

インデントを増やす

項目は左右にスワイプするとインデントを増やしたり、減らしたりできる。サブタスクなどは左から右にスワイプしてインデントしておくと見やすくなる。

項目の並べ替え

項目の並べ替えも簡単。項目を移動させるには、丸いチェックマーク部分をドラッグ&ドロップする。

 : **ジェスチャ操作を動画で確認する**

「インデントを増やす」と「項目の並べ替え」操作は
Youtube動画「iPadの純正メモアプリ活用方法！メモの
PDF保存やドキュメントスキャン、メールへの添付方法など」でも紹介しています。

https://www.youtube.
com/watch?v=QZd-
O2XwwAg

チェックリスト・
リストの切り替え

複数行の項目を後から選択してチェックリストや
リストに変換ができる。
チェックリストではなく、箇条書きリストを作成
したい場合は、「Aa」のマークからリストを選
択する。箇条書きリストには丸、ダッシュ、数
字付きの3種類がある。

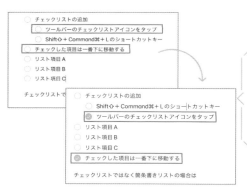

チェック済み項目の処理

チェックリストの項目には、チェックするとリストの
1番下に自動的に移動する設定がある。副項目は、
チェックすると同じ主項目の中にある副項目の1番
下に移動する。

チェックした項目の並べ替え設定

チェックした項目をリストの1番下に移動させるには、「設定」
>「メモ」>「チェックした項目を並べ替え」から設定する。

項目を「自動」に設定すると、チェックした項目が自動でチェッ
クリストの1番下に移動するようになる。

> **POINT**
>
> 　「チェックした項目を並べ替え」の設定が「手動」の場合、自動並べ替えを有効にするかどうか
> というポップアップウィンドウが表示されます。「並べ替えを有効にする」をタップすると、設定
> アプリを開かずに、「チェックした項目を並べ替え」の設定を「自動」に変更できます。

チェックリストを使った文章作成術

チェックリストは指の操作でインデントの追加や項目の移動が簡単にできることから、簡易アウトライナー（階層構造を持つ箇条書きを作成するツール）として使えます。

プレゼンテーション内容を組み立てたり、ちょっとした文章の作成に役立ちます。普段のメモでも構造化できると内容がつかみやすくなるのでチェックリストはおすすめです。

チェックリストを使った文章作成の流れ

まずは思い付いた内容を1行ずつ入力していく。順番は後から並び替えるので、思い付いたことから書いていい。

インデントや並べ替えを使って、構造化する。インデントを付けると1つ上のレベルで物事を考えられるようになるので、最初に思いつかなかったことも考えられえるようになるメリットがある。

チェックリストを使うことでスワイプ操作でインデントが可能になり、並べ替えもドラッグ操作でできる。

並べ替えが終わった後に、再度チェックリストボタンをタップすれば、チェックボックスが解除される（インデントは残る）。

POINT

チェックリストで作成したアウトラインはそのままテキストをコピーして使えます。たとえば、標準メモアプリで骨組みを作成し、そのあと Word などの文章作成アプリへペーストして作業を続けられるので、文章の作成もスムーズです。

2-9 標準ボイスメモアプリの活用

有料ノートアプリの中には、録音しながらノートを取れるアプリがありますが、Apple標準機能だけでも標準ボイスメモアプリを使えば、音声を録音しながらメモを取ることができます。

さらに、音声のトリミングやノイズキャンセル、無音スキップ、再生速度の変更なども標準ボイスメモアプリだけでできます。

ここでは、会議の議事録作成とプレゼンテーションの練習への活用を紹介します。

使用するアプリ

ボイスメモ

Apple標準のボイスメモアプリ。基本的な録音以外にも、トリミングなど編集もできる。

―――――― 無料

コントロールセンターから起動できる

標準ボイスメモアプリもコントロールセンターから起動できる数少ないアプリの1つ。
コントロールセンターへの追加は「設定」>「コントロールセンター」から行う。

アプリを起動せずに録音を開始できる

コントロールセンターにある標準ボイスメモアプリのアイコンをロングタップすると新規録音や、直近の録音データの再生がすぐにできる。

録音の一時停止

ボイスメモ録音中、ウィンドウを上に向かってスワイプすると、録音の一時停止ができる。会議中、録音が不要な時や、休憩時間などは一時停止にしておく。再び録音する場合は、再開ボタンをタップする。

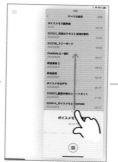

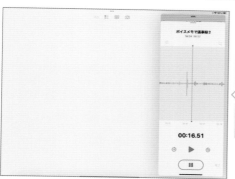

録音音声の上書き

録音した音声に上書きすることができる。方法はシンプルで、中央に表示されている赤いバーの位置を左にずらすと、バーの位置から重ねて録音される。

POINT

「設定」>「ボイスメモ」>「位置情報を録音名に使用」をオンにすれば、録音した場所の住所が録音名になります。打ち合わせなど、場所を移動しながら使用する場合は「位置情報を録音名に使用」をオンにしておくと、自動で場所名が入るのでタイトルを付けなくても、どこで録音したデータなのかすぐにわかります。

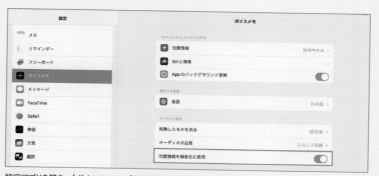

設定アプリを開き、「ボイスメモ」>「位置情報を録音名に使用」をオンにする。

標準メモアプリ×標準ボイスメモアプリで議事録作成

標準メモアプリを開き、Slide Over で標準ボイスメモアプリを同時に表示すると、会議中に、会議の内容を録音しながら、重要なところだけメモすることができ、議事録の作成準備がその場できます。

p.127 で紹介している議事録テンプレートも併せて活用すれば、議事録作成の時間をより短縮でき効率的です。

会議の内容を録音

標準ボイスメモアプリを起動したら、画面上部のマルチタスクボタン（3 つの点）から「Slide Over」をタップする。

標準ボイスメモアプリの画面が右端に隠れ、他のアプリを選択可能になるので、標準メモアプリを起動する。

標準メモアプリの上に標準ボイスメモアプリが重なった状態になるので、会議スタートと同時に赤い録音ボタンをタップする。

POINT

会議中にボイスメモアプリのウィンドウが邪魔になる場合は、ウィンドウ上部を右端にスワイプします。そうするとウィンドウを一時的に隠すことができます。再表示する場合は右端から中央に向かってスワイプします。

Keynote ×標準ボイスメモアプリで プレゼンテーションのリハーサル

Split View で標準ボイスメモアプリと Keynote を一緒に使い、プレゼンテーションのリハーサルを行うことで、自分の話し方や内容を客観的に確認できます。

録音した音声を聞き返しながら、分かりにくいところはないか、時間配分は妥当か、などを確認します。録音することで、自分の話した内容を振り返ることができます。

スライドに動画が埋め込まれている場合は、動画の再生と同時に標準ボイスメモアプリの録音がストップしてしまうので、その場合は iPhone などの標準ボイスメモアプリで録音します。

録音したものを当日聞き返すことで、より精度の高いプレゼンテーションを行うことができるようになります。

プレゼンテーションのリハーサル

スライド資料が完成したら、Keynote の右上の「…」メニューから「スライドショーをリハーサル」をタップする。

Split View で標準ボイスメモアプリを開き、Keynote でスライドを動かしながら話しているところを標準ボイスメモアプリで録音する。

---

memo ｜ 私はこう使ってる! 標準ボイスメモアプリで Podcast の録音

私が週に1回配信している「iPad Workers Podcast」というポッドキャストも、この標準ボイスメモアプリを使って録音しています。

iPad mini に USB-C ケーブルでマイクを接続し、録音します。話す内容に詰まってしまったら、一時停止ボタンを押して録音を止めたり、言い間違えたりした不要な部分は録音音声の上書き機能を使ってその場で音声を上書きしたりするので、録音後の編集作業が大幅に短縮できます。

録音データは iCloud で自動的に同期されるため、iPad で録音したデータをすぐに Mac や iPhone で確認できるところも便利なところです。

2-10　効率的な文字入力操作

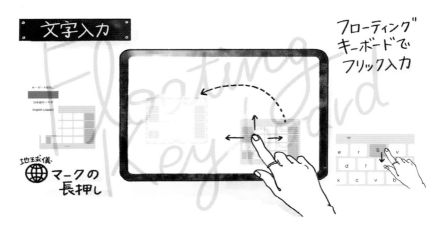

iPad には Apple Pencil を使った Scribble や、フローティングキーボード、音声入力など、キーボードなしでも快適に文字入力ができる機能が組み込まれています（Scribble については p.36 を参照）。

キーボードがなくても「フリック入力」すれば快適

iPad にキーボードを取り付けないで使用する場合、フローティングキーボードを使って、「フリック入力」で文字入力することができます。フリック入力は iPhone などのスマートフォンでは一般的な入力方法なので、タイピングがすごく得意な人でないならこの方法の方が文字入力スピードは速いでしょう。

フローティングキーボードに切り替える方法は、ソフトウェアキーボードの右下にあるキーボードアイコンをロングタップして「フローティング」をタップする方法と、キーボード上でピンチクローズ（2本指でつまむ操作）する方法の2種類ある。

iPadでフリック入力を快適にするためのコツ

「設定」>「一般」>「キーボード」>「キーボード」から、「日本語 - かな入力」を追加します。また「設定」>「一般」>「キーボード」から「フリックのみ」をオンにしておくのがおすすめです。

「フリックのみ」をオンにすると「あああああ

あ」のように同じ文字を連続入力できるようになります。反対に、オフの状態だと「あ→い→う→え→お→あ…」のように連続で押すことで次の文字に切り替わります（トグル入力）。

「フリックのみ」をオンにすると、設定アプリの「日本語 - かな入力」の下に「フリックのみ」と表示される。

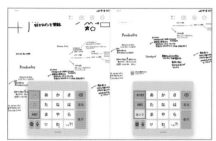

「フリックのみ」に設定すると、キーボード左側のボタンの役割も変更され、日本語・数字・英語の切り替えもスムーズにできる。

キーボードの位置とカーソルを自由に移動できる

フローティングキーボードに切り替えると、キーボードの位置を好きな場所に動かせる。空白ボタンをロングタップすると、文字カーソルを自由に動かせるトラックパッドモードになる。

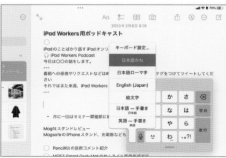

地球儀ボタンのロングタップでキーボードの切り替え

キーボード切り替えや音声入力ボタンのメニューはロングタップで表示され、切り替えや設定画面への移動が簡単なところがいい。

音声入力の活用

iPadはiPhoneと同様に音声で文字入力もできます。以前は音声入力に時間制限がありましたが、現在は制限なく音声入力が可能です。また音声入力で入力中に、キーボードを使って入力された文字を修正することもできます。

音声入力は文字を入力する以外にも、英語の簡易発音チェックとしても利用できます。音声入力をスタートし、テキストなどの英文を読み上げると、iPadに文字が入力されます。その入力された文字が正しいスペルで入力されているかで、ある程度の発音チェックが可能です。ただし、音声入力はあくまで文字認識をしているだけなので、発音の厳密なチェックにはなりません。英文を声に出して読む練習という程度に活用するといいでしょう。

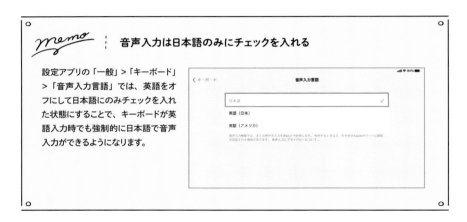

memo 音声入力は日本語のみにチェックを入れる

設定アプリの「一般」>「キーボード」>「音声入力言語」では、英語をオフにして日本語にのみチェックを入れた状態にすることで、キーボードが英語入力時でも強制的に日本語で音声入力ができるようになります。

記号の読み方を知る

音声入力時に、任意の場所に記号や句読点を入れる場合は、特定のコマンドを話すと入力可能です。ここでは、コマンドの一部を紹介します。

句読点および書式設定のコマンド

- かっこ：「(」
- かっこ閉じ：「)」
- カギ括弧：「「」
- カギ括弧閉じ：「」」
- マル：「。」
- 改行：改行を挿入する
- コロン「：」
- 点（てん）：「、」
- びっくりマーク：「!」
- クエスチョンマーク or はてな：「?」
- 中黒（なかぐろ）：「・」
- 〇〇絵文字：指定の絵文字が入力される

便利な入力方法

　他にも入力時に便利な機能は色々あります。特に数字を入力する際に使える便利技が3つあります。キー上部に表示されている数字や記号を手早く入力する技は、iPad特有の便利な入力方法です。

「きょう」「きのう」「あす」と入力すると、日付に変換できる。変換候補から複数の日付形式が選べる。

時刻や日付などは数字だけ入力しても変換候補に表示される。

キー上部に表示されている薄い文字の数字や記号は、通常なら Shift を押しながら入力するが、Shift を上から下にスワイプすると Shift なしで入力が可能。

無料版の「GoodNotes 5」はどこまで使えるのか

iPadのノートアプリとして最も有名なのが「GoodNotes 5」です。有料アプリにも関わらずストアでのランキングは常に上位にあるノートアプリです。

私自身は2019年のGoodNotesが4から5にアップデートしたタイミングでアプリを購入し、現在も使い続けています。GoodNotes 5はもともと有料アプリでしたが、2022年4月5日に無料版が登場しました。ただし無料版には制限があるので、すべての機能を使いたい場合はアプリ内課金が必要です。

使用するアプリ

GoodNotes 5

手書きができるノートアプリ。自動的にiCoudを経由して同期されるので、どのデバイスからでもアクセスできる。

Time Base Technology Limited
無料　App内課金あり

無料版と有料版の違い

ノートを書く、写真を貼るなどの基本的なことは無料版でも有料版でも変わらずに使えます。

一方でGoodNotes 5の無料版は、ノートブックが3冊までしか作成できません。また、手書き認識機能や、メールによるインポート機能、優先メールサポートが使えません。

ノートブックの作成に制限があるので、無料版のまま使い続けるとページ数がどんどん増えていくはずです。しかし手書き文字認識機能が無料版で

は使用できないため、どこに何を書いたのか探すために工夫が必要になるでしょう。

つまり本格的にGoodNotes 5にノートを取ろうと考えるのであれば、1,500円のアプリ内課金をした方が快適に使用できます。

逆に無料版のままでも問題ないのは、ちょっとした軽いメモを取る用途として使用する人や、標準メモアプリにはない「ページ」の概念があるデジタルノートを使いたいような人です。

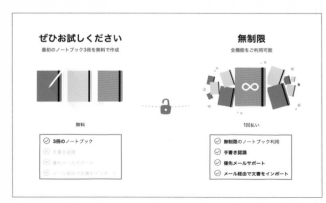

GoodNotes 5の無料版と有料版の大きな違いは4つだけ。

端の部分が書きにくい場合には縦スクロール

手のひらをつけて Apple Pencil を使う場合、iPad 本体の厚みで、iPad の端の部分が書きにくくありませんか？

ページの概念があるノートアプリは、ページの端が iPad の画面端にピッタリとくっつく仕様になっているため、ノートの端に文字を書く時は iPad と机の段差に手が当たります。Zoom Window を使えば、ノートの端も iPad の画面中央で書くことはできますが、わざわざ Zoom Window を起動し、描画エリアの指定をするのは面倒です。そう

いった時には、スクロールの方向を「縦方向」にすることで、GoodNotes 5 のページ下部を iPad の画面中央に移動できるようになります。これは、「Noteshelf」でも有効です。ただし、ページの端を画面中央に持ってこれるのは、次のページが作成されている場合のみなので注意してください。なお、標準メモアプリはもともと上下方向にしかスクロールできないので、スクロール方向を切り替える必要はありません。

ページの端まで書く場合、iPad の画面端に書き込む形になるので、書きにくい。

Zoom Window を使えば一部拡大して書き込みできるが、表示・非表示の切り替えが面倒。ページのスクロール方向を縦にすればその面倒さもない。

スクロールの方向を「縦方向」にするには、GoodNotes 5 でノートを開いた画面の右上「…」メニューから「スクロールの方向」をタップし、「縦方向」に設定する。

筆圧が弱くても太く書ける設定

アナログな紙とペンの場合、ある程度力を入れて書かないと太くて濃い線は書けませんが、iPadのようなデジタルツールなら簡単に書けます。

頭ではわかっていても、アナログの感覚が抜けずiPadでも文字や絵を書くときにグッと力を入れてしまいがちですが、iPadで書くうえではいらない力です。

自分の筆圧に対して少し意識を向けるだけで、今までよりも少ない力で文字や絵が書けるようになります。少ない力で済むということは、手への負担減にもなり、また、力が抜けることによってブレが抑えられ、結果的に読みやすい文字が書けるようになる場合もあります。

私も最初は、紙とペンの感覚のままiPadと

Apple Pencilを使っていたので、かなり力を入れて書いていましたが、「筆圧をかけなくても太い線が書ける」と意識することで、力を抜いて書けるようになりました。

GoodNotes 5の万年筆や筆ペンには筆圧感度の設定項目があり、筆圧感度を下げることで、弱い力でも太い線が書けます。

普段、基本設定のままペンツールを使っている人も、一度試しに違う太さや、違う種類のペンツールを使ってみるとデジタルノートテイキングの感覚が変わるかもしれません。

iPadで字を書くことが苦手と思っている人は、ペンの太さを少し太めのタイプにして、自分の筆圧を意識してみてください。

ペンの設定を変更すると、弱い力でもよりくっきりはっきりと書けるようになる。

GoodNotes 5で作る付箋ノート

GoodNotes 5にはステッカー機能があり、その中に付箋タイプがあります。この機能では、書いた文字と付箋全体を選択しないと文字と付箋が一緒に動きません。ここでは、ステッカー機能を使わず、付箋のどこか1箇所を選択すれば文字と付箋が一緒に動く付箋ノートについて紹介します。

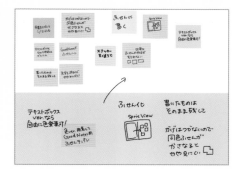

この方法であれば付箋ベースの上に書いた文字は消えないため、消しゴムツールで消す必要があったり、付箋の大きさの比率がバラバラになるなどの欠点はあるものの、付箋のサイズを変更したり位置を移動させることはとても簡単にできます。特別なテンプレートも必要ないので十分使えるはずです。付箋をよく使う人はぜひ試してみてください。

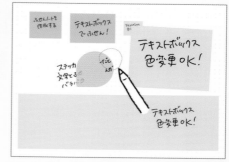

ステッカー機能で挿入した場合、上に書いた文字と付箋がバラバラの扱いになり、一部しか選択できていないと選択ツールで囲った範囲の文字しか移動できない。

テキストボックスで付箋のベースを作成

付箋になるベース（色の付いているパーツ）はテキストボックスを使用する。最初に、テキストツールで必要な高さ分の改行を挿入する。

横のサイズはテキストボックスの左右に表示されている青い丸を指でドラッグして調整する。

ツールバーの「テキストボックスのスタイル」＞「詳細」タブから「背景カラー」をタップする。

任意のカラーを選択する。これで付箋のベースが完成。

付箋ベースに書き込み画像化

付箋ベースが作成できたら、ペンツールで文字や図を書く。書いたら、選択ツールで文字全体を囲み、タップメニューから「スクリーンショットを撮る」をタップする。

画像化された付箋が表示されたら、右上の共有メニューから「コピー」をタップする。

付箋を貼り付けたい場所でロングタップ→「ペースト」をタップする。

画像化された付箋がペーストされるので、サイズを変更して好きな位置に移動する。

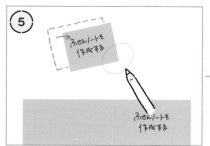

付箋は1つの画像になっているので、選択ツールで一部を選択すれば文字と付箋がバラバラになることなく一緒に動かせる。

一度小さくした付箋を拡大しても、書いた文字はぼやけない（拡大中のみ文字がぼやけて表示される）。

効率がアップする
ちょっとしたテクニック

3-1 よく使う操作は ショートカットを活用

iPad でよく行う作業はショートカットを使うのが便利です。もし、同じ作業を週に3回以上繰り返すのであれば、最初に少し時間をかけてショートカットアプリで仕組みを作ると、作業効率が格段に上がります。ここでは、そのショートカットの作成方法と私が使っているショートカットの活用例を紹介します。

使用するアプリ

ショートカット

複数のアプリを使った作業のショートカットを作成する Apple 標準アプリ。

—— 無料

iPad のショートカットアプリでできること

私が最もよく使うショートカットは PNG 画像を JPEG 画像に変換するショートカットです。

iPad は手軽にスクリーンショットが撮影できます。電子書籍を読んでいる時のちょっとしたメモを取る際や、アプリや Web の画面を共有する際に、簡単に画像化して記録できることはいいのですが、保存されるファイル形式が PNG だということに注意が必要です。

PNG 画像は劣化もなく、見たままの状態で保存できますが、その分ファイルサイズがとても大きくなります。

現在、スクリーンショットのファイル形式を選択するようなオプションはないので、JPEG 画像にした場合は手動で変換が必要です。そんな時に、ショートカットアプリを使うと簡単に処理ができるのでおすすめです。

私が iPad で使っているショートカットの一部。

ショートカットの作成

ショートカットは自分で新規作成する他、公開されているショートカットをダウンロードして使うこともできます。最初から入っているスターターショートカットに少し手を加えて、自分流にカスタマイズして使うのが1番簡単な方法でしょう。

新規ショートカットを作成する場合は、ショートカットアプリを開き、「+」マークをタップします。右側に表示される「App」をタップすると、iPadにインストールされているショートカットに対応したアプリが表示されます。下の「新規でショートカットを作成」は、Bearというエディタアプリ内を指定の条件で検索するショートカットの作成方法です。

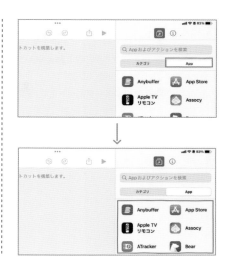

新規でショートカットを作成

「新規ショートカット」の画面から「App」、「Bear」の順にタップし、「Bearで検索」を追加する。

検索文字には、自分で都度入力する以外にも、選択している文字列、クリップボードの内容、日付などから選べる。

右の「i」のマークから、ショートカットをホーム画面に追加したり、共有シートに表示したりできる。

作成したショートカットのアイコンをタップすると、アイコンのデザインをカスタマイズすることもできる。

PNG 画像を JPEG 画像に変換するショートカット

　「カメラロール内から PNG 画像を検索→ JPEG 画像に変換→変換したものを保存→元画像の PNG 画像を削除」の流れをショートカットアプリを使って処理しています。

　私はこの画像変換ショートカットをホーム画面の 1 画面目にボタン化して配置しており、ボタンを押すだけで自動的に写真アプリ内の PNG 画像が JPEG 画像に変換されます。一度にたくさんの写真を変換すると途中で処理が止まってしまうため、10 枚ずつ写真を処理できるように設定しています。

　PNG 画像から JPEG 画像に変換すると 10MB → 1MB 以下になるので、ファイルサイズは 10 分の 1 になるイメージです。用途によっては PNG 画像の方がいいこともありますが、記録目的などであれば多少劣化しても問題ないので、変換してしまった方が iPad 本体のストレージ容量を節約できます。

PNG 画像を JPEG 画像に変換するショートカット。

ショートカットをボタン化して
ホーム画面に設置する

　ショートカットにはフォルダ機能があり、作成したショートカットをジャンル別に分類できます。ホーム画面にウィジェットとしてショートカットを追加する場合、フォルダ指定が可能なので、ホーム画面から動かしたいショートカットをフォルダに分けておくといいでしょう。ホーム画面にショートカットアプリのウィジェットを配置すると、ボタンを押すだけでショートカットを実行できるようになります。

ショートカットアプリのウィジェットをロングタップして、「"ショートカット"を編集」からフォルダを選択する。

ホーム画面に作成したフォルダをウィジェットとして追加する。

オートメーション機能

　ショートカットアプリには、オートメーション機能があります。特定の時間、特定の場所、Eメールやメッセージの受信、睡眠モード、デバイスのバッテリー残量、アプリの終了、デバイスの電源接続を取り外した時など、さまざまな条件でショートカットを実行できます。

特定アプリを開いた時だけ自動で回転ロックする

iPadはどの向きで使っても問題ないように、iPadの向きに合わせて画面内が自動で回転します。

縦持ち、横持ちどちらでも自由に使えるところがiPadの魅力の1つでもあるので、画面の回転ロックは基本的にオフがおすすめです。

ただし、iPadを持ったまま自分が寝転がる形で横向きになっている時など、画面が自動で回転すると逆に不便な場合もあります。その度にいちいち設定を変更するのは大変です。そんな時は、ショートカットアプリのオートメーションを使います。特定アプリを開いた時だけ自動で「回転ロックする」ように設定しておけば、問題は解決します。

ショートカットで特定のアプリ実行時に回転ロックを設定する

ショートカットアプリを起動し、サイドバーから「オートメンション」を選択する。「+」マークから「個人用オートメーションを作成」選択し、「App」をタップする。

オートメーションの実行条件を設定し（「選択」をタップしてアプリを指定したら「完了」をタップする）、「次へ」をタップする。特定アプリの指定は、複数の選択が可能。

「アクションを追加」から「画面の向きをロックを設定」を選択。設定を「切り替える」にするとトグルに、「変更」にするとオンかオフが選べる。右上の「次へ」でアクションの登録が完了する。

「尋ねない」をタップにすると、オートメーションが自動で実行される。設定がすべて終わったら「完了」をタップする。

ショートカットを使って自動化するメリット

メリットは時間と手間の短縮、また、機械的にプログラムを実行するだけなので失敗しないことです。

手動での作業の場合、ステップ数が増えればそれだけミスする可能性が高くなりますが、ショートカットを使えばミスはなくなります。複数のファイルや画像を同時に処理することもできます。また、1つの機能だけでなく他のアプリや操作と組み合わせられるところがショートカットのメリットです。

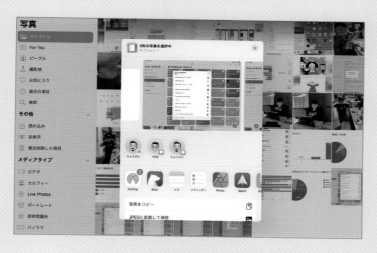

ショートカットで確認画面を非表示にする

ショートカットで画像などを削除する際に、確認画面が表示されます。この確認操作をなしにするには、設定アプリから「確認なしに削除することを許可」をオンにします。

「設定」>「ショートカット」>「詳細」>「確認なしに削除することを許可」をオンにする。

ショートカットを実行した時に「常に削除」を選択すると、それ以降、確認なしで画像を削除できる。

3-2 並行作業に特に向いている作業

iPad にはマルチタスクを可能にする機能があります。たとえば、Slide Over や Split View といった画面分割機能などです。

パソコンの大きなモニターに比べると画面サイズは小さいため、シングルタスクにしか向いていないと思っている人も、これから紹介する作業など、使う場面によってはマルチタスクの方がはかどる場合もあります。

Split View の切り替え

アプリの上部にある「…」（アプリの上部にある 3 つのドット）マークをタップすると、マルチタスクメニューが表示される。Split View 表示にする場合は上から 2 番目をタップする。

アプリの画面を右側・左側どちらに寄せるか選択し、開きたい別のアプリを選択する。

予定を確認しながらメールを送信

会議や打ち合わせの日程など、予定を決める際にSplit Viewを使えば、標準カレンダーアプリで予定を確認しながらメールを送信できます。

標準メールアプリと標準カレンダーアプリの組み合わせなら、予定を確認する以外にもカレンダーのイベントをメールに添付することもできます。

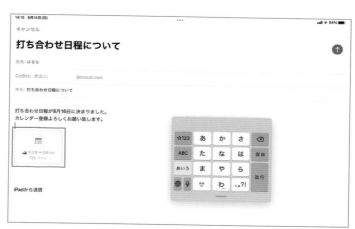

イベントは.icsファイルでメールに添付される。iPhoneやiPadで.icsファイルを開くと、標準カレンダーアプリにイベントが登録される。

カレンダーのイベントをメールで共有

Split Viewで標準メールアプリと標準カレンダーアプリを同時に開く。

すでに登録されているカレンダーイベント項目をメール画面へドラッグ&ドロップすると、.icsファイルを添付できる。

> **POINT**
> 標準カレンダーアプリ以外にも写真アプリや標準ファイルアプリを標準メールアプリと同時に立ち上げておくと、ドラッグ&ドロップでメールに添付ファイルを追加できます。

ピクチャ・イン・ピクチャで手順を見ながら作業

ビデオを視聴中に、左上に表示される「ビデオを最小化」ボタンをタップすると、ピクチャ・イン・ピクチャの画面になります。ピクチャ・イン・ピクチャを使うと FaceTime やビデオ視聴画面を iPad の画面隅で小さく再生しながら別の作業が可能になります。たとえば、アプリの設定方法など YouTube の動画を見ながら作業をする場合に有効です。ピクチャ・イン・ピクチャを使うと設定画面や操作画面を大きく使うことができます。

右下の画面で動画を見ながら iPad の操作ができる。

POINT

ピクチャ・イン・ピクチャは Split View と違いウィンドウが重なってしまうため、右下にメニューボタンがあるものなど、組み合わせて使うアプリによってはボタンが押せなくなり操作しづらくなることがあります。
そんな時は、ウィンドウの表示位置を動かしたり、一時的にピクチャ・イン・ピクチャのウィンドウを非表示にするといいでしょう。

YouTube 動画の再生

YouTube アプリはピクチャ・イン・ピクチャに非対応のため、Safari のブラウザ上で YouTube 動画を再生する。動画を最大化した後に表示される「ビデオを最小化」ボタンをタップする。

「ビデオを最小化」ボタンをタップすると、ビデオウィンドウが画面の隅に小さく表示される。

この状態でホーム画面から別のアプリを開くこともできる。画面を元のサイズに戻す場合は、右上にある「フルスクリーンに戻す」ボタンをタップする。

ピクチャ・イン・ピクチャでできること

ビデオの再生、一時停止、巻き戻し

ピクチャ・イン・ピクチャで再生中の動画は、ビデオウィンドウをタップすると再生 / 一時停止 / 巻き戻しなどの操作が可能。ビデオウィンドウを閉じる場合は、「×」ボタンをタップする。

ビデオウィンドウの移動、拡大・縮小

ビデオウィンドウはドラッグすることで四隅に動かせる。また、2本の指でピンチオープン・ピンチクローズするとある程度、ウィンドウサイズを拡大・縮小できる。

ビデオウィンドウの非表示

ビデオウィンドウを右端または左端から画面の外にドラッグすると、一時的に非表示になる。再び表示させるには、「>」（または「<」）をタップする。

---

memo ┆ **公式ページを確認する**

Apple の公式サイトにもピクチャ・イン・ピクチャの操作方法が掲載されています。

「iPad のピクチャ・イン・ピクチャでマルチタスクを実行する – Apple サポート（日本）」
URL : https://support.apple.com/ja-jp/guide/ipad/ipad7858c392/ipados

iPadだからできる写真の整理と活用術

写真を撮影することを考えると、小さくてカメラ性能の高いiPhoneがおすすめですが、写真を管理・整理する場合はiPadの広い画面が操作性が高く便利です。

ここでは、写真の整理や検索方法、画像からのテキストコピーの方法やその活用例などを紹介します。

写真整理

サイドバーを使えばドラッグ&ドロップで複数枚の写真をアルバムに追加

写真内のテキスト認識も

手書きの文字でもOK

ピンチクローズで写真の縮小表示

iPadの広い画面で写真を整理

iPadとiPhoneの写真アプリで大きく違う点は、サイドバーの有無です。サイドバーには写真のメディアタイプや自分で作成したアルバムなどが一覧表示されます。

iPhoneでも表示は可能ですが、タブの切り替えが必要です。iPadならサイドバーを表示したまま写真表示ができます。

写真を複数選択した後に、ドラッグ&ドロップでサイドバーのアルバムタイトル上へ移動すれば、写真をアルバムに追加できます。

写真をまとめてアルバムに追加する

右上の「選択」ボタンをタップすると選択モードに切り替わる。

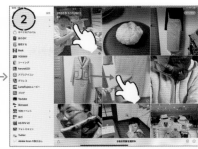

選択モードに切り替わったら、写真を1つずつタップするか、指で写真の上をなぞると複数選択できる。

他にも、1枚写真をドラッグした状態で他の写真をタップすると選択モードにしなくても複数選択できる。両手を使って操作すると操作しやすい。

+マークが表示されたら手を離す。選択した写真がアルバムに追加できる。

写真のサムネイル表示を縮小して写真を探す

　写真の一覧表示では写真のサムネイルサイズを拡大・縮小できます。右上の「…」から「拡大」「縮小」をタップすると表示サイズが変わります。

　表示サイズを最小にすると、1画面に8000枚近くの写真を表示可能です。旅行の写真などは普段の写真とは色合いが違ったりするので、このサイズのサムネイルでも大体見つけることができます。写真のサムネイル表示サイズはピンチオープンとピンチクローズでも変更できます。写真の一覧表示の左上に撮影した日付が表示されるので、年別、月別、日別といった日付から探す方法もありますが、正確に年月がわからない場合は表示を縮小して探す方法がおすすめです。

撮影した場所から写真を検索する

撮影した場所から写真を検索する方法もあります。サイドバーのメニューにある「撮影地」または、「検索」から写真を探すことができます。

「撮影地」から写真を探す場合は、地図を拡大すると細かく写真が分類されていくので、iPadの広い画面で探す時は便利な機能です。

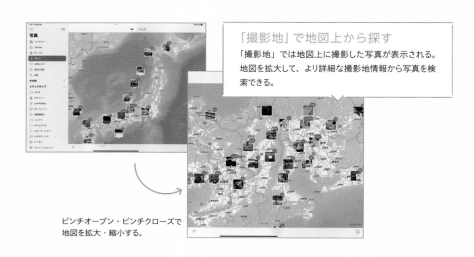

「撮影地」で地図上から探す
「撮影地」では地図上に撮影した写真が表示される。地図を拡大して、より詳細な撮影地情報から写真を検索できる。

ピンチオープン・ピンチクローズで地図を拡大・縮小する。

「検索」で撮影した地名から探す
左にあるメニューの「検索」から地名を入力すると、撮影地の候補や関連する写真が表示される。

「すべて表示」をタップすると、入力した地名に関連する写真の一覧が表示される。

画像からテキストをコピーする

　最新の iPadOS は、画像内のテキスト認識機能が日本語にも対応しています。

　写真アプリやファイルアプリなどで画像をプレビューした時に、右下に表示されるボタンがテキスト認識ボタンです。タップするとテキスト認識部分がハイライトされます。画像からのテキスト認識機能によって、画像内のテキストから経路を検索したり、コピーして貼り付けたりできます。次のページで私の活用事例を紹介します。

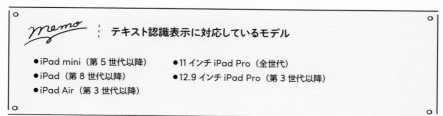

memo　**テキスト認識表示に対応しているモデル**

- ●iPad mini（第 5 世代以降）
- ●iPad（第 8 世代以降）
- ●iPad Air（第 3 世代以降）
- ●11 インチ iPad Pro（全世代）
- ●12.9 インチ iPad Pro（第 3 世代以降）

「テキスト認識表示」設定の有効化

「設定」>「一般」>「言語と地域」を選択。

「テキスト認識表示」をオンにする。

スクリーンショットからレシピやお店情報を取得する

「Instagram」や「YouTube」など、アプリによっては安全面などの理由からテキスト選択やコピーができないようになっており、不便な場合があります。

たとえば、私はInstagramで料理のレシピやお店情報を見ることが多く、気になったものはInstagramの機能で保存しています。しかしInstagramの保存機能では簡単なフォルダ分けしかできないので後から探し出すことが難しく、見つけられないこともあるので、保存機能ではなくスクリーンショットで撮影して、写真アプリに保存することが多いです。保存した画像からテキスト認識機能を使って簡単に場所を調べたり、レシピノートを作ったりできます。

スクリーンショットから経路検索

画像から取得したテキストに住所や時間、メールアドレスなど特定の文字列が入っている場合、下にボタンが表示される。

住所の場合、タップすると標準マップアプリが起動する。現在地からの経路が表示され、どの辺にあるのかがすぐにわかる。お店を探す際はこの機能が重宝する。

写真内の文字で検索

画像内のテキスト認識機能は、写真アプリ内の検索でも有効。「"写真"で検出されたテキスト」の項目をタップする。

写真内で検索した文字を認識している画像が表示される。スクリーンショットのままでも写真アプリ内で検索すれば、目当ての情報を探せる。

写真とテキストの境界線は曖昧になってきている

写真や動画内からテキスト認識できるようになり、写真とテキストデータの境界線が曖昧になってきていると感じています。もちろんテキストデータの方がデータ容量は軽いので、ずっと保存しておくならテキストデータが向いているかもしれません。

しかし、アナログの手書きで書いたものを写真に撮るだけで、簡単にテキストを抽出できたり、翻訳できたり、検索できる手軽さは一度体験すると戻れないくらい便利です。

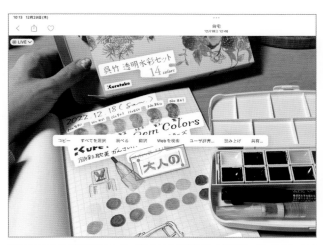

画像内のテキストが抽出されている。テキストとして認識された箇所がハイライトされ、テキストを選択するとメニューが表示される。

---

memo　｜　**写真にキャプションを追加する**

画像のテキスト認識は日本語にも十分に対応していますが、手書きの文字や、縦書きの文字に関してはそこまでテキスト認識精度は高くありません。上手く認識できていない場合は写真のキャプション部分に入力しておくといいでしょう。

右上の「i」マークをタップするか、写真を下から上に向かってスワイプすると表示される情報ウィンドウからキャプションを追加できます。

3Dスキャンで記録を残す

iPadのカメラ機能とアプリを使えば、部屋の間取りを記録したり、大きさを計測したりすることができます。ここでは、引っ越しやDIYなどに使えるテクニックを紹介します。

部屋のレイアウトを3Dスキャンで残す

我が家では、2階にある2部屋を1つは仕事部屋、もう1つは趣味部屋として運用しており、2つの部屋を年に2回、引っ越し（入れ替え）て使っています。

引っ越しの際に、家具をすべて入れ替える

と半年前にどんな配置にしていたのか忘れてしまうことが多いので、3Dスキャンできるアプリ「Scaniverse」を使って、部屋全体のレイアウトを保存しています。

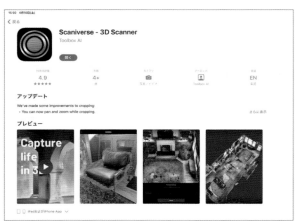

Scaniverseのインストール画面。

使用するアプリ

Scaniverse - 3D Scanner

手軽に3Dスキャンができるアプリ。3Dスキャンデータはさまざまな角度に動かすことができる。無料だがA12 Bionicチップ以降を搭載したデバイス制限あり。

Toolbox AI
無料

iPad のカメラだけで俯瞰画像が見れる

Scaniverse は iPad のカメラ機能である LiDAR スキャナを使って 3D スキャンデータを残せる無料アプリです。アプリを起動したら、iPad を持って部屋の各方向にカメラを向けるだけでスキャンできます。3D スキャンしたデータは画面を動かし、さまざまな向きから見ることができます。

普通の写真撮影では撮影できないような真上からの俯瞰写真も確認できる。

DIY 用の計測

Scaniverse を使うと、部屋の高さや奥行きといった距離の計測も可能です。

立体的にスキャンされた 3D データ上で、測りたい場所を選択すると高さや長さが表示されるので、DIY などで何かを作るといったときに便利です。精密な計測データではありませんが、大体壁が何平米あるのかなどはこの計測データで十分割り出せます（誤差±5cm 以下の精度で数字が出る）。

画像上に数値が表示される。

標準計測アプリでサイズを測る

　Scaniverse のような 3D スキャンアプリを使用しなくても、iPad に最初からインストールされている標準計測アプリを使えば、サイズを測れます。メジャーでの計測と記録が同時にできるので、模様替えなどにも役に立ちます。

　LiDAR スキャナが搭載されている iPad なら、計測精度はかなり高いです。

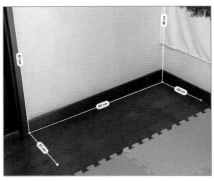

標準計測アプリで撮った画像。

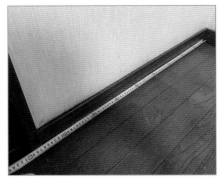

実際にメジャーで計測してみると、誤差は 1cm 程度。

使用するアプリ

計測
カメラをかざすと、オブジェクトの寸法などを計測できる Apple 標準の計測アプリ。スクリーンショットで保存もできる。

———————————————————————— 無料

標準計測アプリの使い方

1

iPad に映し出される画面上に丸いポインタが出てくるので、右側の「+」ボタンで点を追加する。

2

点からポインタまでが距離が自動的に算出されリアルタイムで表示される。

マークアップと組み合わせる

　さらに、「マークアップ」機能を使えば、撮影した写真などに直接書き込みが可能です。標準計測アプリとマークアップ機能を組み合わせると、レイアウトイメージなども簡単に作成できます。

マークアップの使い方

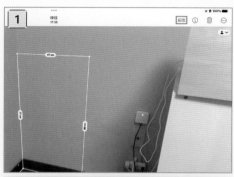

写真アプリから標準計測アプリで保存した写真を開き、右上の編集をタップ。

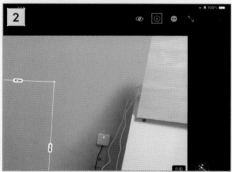

編集画面で右上のマークアップをタップ（または、Apple Pencil で画面をタップ）すると書き込みのできるマークアップ画面になる。

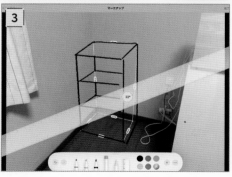

定規ツールを使えば直線もキレイに描ける。標準メモアプリで図形を補正する機能（図形を描いた後、しばらくApple Pencil や指を離さずロングタップしているとキレイな図形になる機能）も使える。

メインデバイスと
スムーズに連携できる機能

　iPad は単独で使っても十分に便利なデバイスですが、普段 Mac を使っている人なら、Mac と iPad を組み合わせて使っても便利です。Apple 製品は、それぞれのデバイス間でデータの共有がとても簡単にできる仕組みがいくつも用意されています。ここでは iPad で使える連携機能について紹介します。

iPad で使える10個の連係機能

　Apple 製品には Mac、iPhone、iPad、iPod touch、Apple Watch をつなぐ「連係機能」というものがあります。全部で12個の連係機能が用意されており、iPad で使える連係機能はそのうちの10個です（自動ロック解除と Mac での Apple Pay 支払いには対応していません）。

　同じ Apple ID でログインしている端末であれば、特別なアプリを使用することなく使える機能です。

Handoff：作業に着手したデバイスから、近くにある別のデバイスに切り替えても、中断したところからスムーズに作業を続けられます。

ユニバーサルクリップボード：1台のApple デバイスでテキスト、画像、写真、ビデオなどのコンテンツをコピーして、別の Apple デバイスにペーストできます。

iPhone セルラー通話：Mac、iPad、iPod touch でも、iPhone と同じネットワーク上にあれば、電話をかけたり電話に出たりすることができます。

SMS／MMS 転送：Mac、iPad、iPod touch でも、iPhone 発信のSMS／MMS メッセージを送受信できます。

Instant Hotspot：iPhone やiPad (Wi-Fi + Cellular) のインターネット共有に Mac、iPhone、iPad、iPod touch から接続でき、パスワードの入力を省くことができます。

自動ロック解除：Apple Watch を装着していれば、Mac にすばやくアクセスし、Mac の管理者パスワードの入力を求めるその他のリクエストもすばやく承認できます。

連係カメラ：iPhone、iPad、iPod touch で書類をスキャンしたり、写真を撮ったりすると、すぐに Mac に表示されます。

連係スケッチ：iPad、iPhone、iPod touch で作成したスケッチを簡単にMac 上の書類に挿入できます。

Sidecar：iPad を 2 台目のディスプレイとして使い、Mac のデスクトップを拡張またはミラーリングできます。または、タブレット入力デバイスとして使って、Mac の App に Apple Pencil で描画することも可能です。

AirDrop：書類、写真、ビデオ、Webサイト、地図上の位置情報などを近くの iPhone、iPad、iPod touch、Mac にワイヤレスで送信できます。

Apple Pay：Mac でオンラインショッピングをし、iPhone や Apple Watch の Apple Pay を使って購入手続きを行います。

参照：「連係機能を使って Mac、iPhone、iPad、iPod touch、Apple Watch をつなぐ – Apple サポート（日本）」(https://support.apple.com/ja-jp/HT204681)

ちょっとした作業の引き継ぎに便利な「Handoff」

「Handoff」は、対応したアプリを使っている時、近くに他のデバイスがあるとそのデバイスに作業が引き継げる機能です。

Handoff を使えば、移動中は iPhone で確認し、iPad が使える環境になったらすぐさま iPad で続きの作業ができます。

たとえば、iPhone の Safari で見ている Web ページをそのまま iPad に表示したりできます（Mac、iPhone、iPad、iPod touch、Apple Watch どの組み合わせでも使える）。

---

memo　**Mac と iPad のスムーズな引き継ぎで隙間時間を有効活用**

我が家は 2 階に仕事部屋、1 階にキッチンがあり、お昼の時間になったら夫婦で昼食をとるために iPad を持って 1 階へ移動します。

直前に Mac で作業していたものを Handoff で iPad に引き継ぎ、お昼ごはん後の隙間時間で処理してしまうと効率よく作業ができます。午後からの作業開始時も iPad で作業を少しだけ進めてから、Mac に引き継いで続きを進められるので、休憩前どこまで進めていたかな? という「思い出す時間」が必要なくなります。

最も使う連係機能は「連係マークアップ」

「連係マークアップ」は iPad から Mac 上の PDF や画像にリアルタイムでマークアップを実行できる機能です。

連係マークアップ自体は、iPad だけでなく iPhone、iPod touch で使うこともできます。ただ Apple Pencil が使えるという意味では iPad と組み合わせるのが最強の使い方です。

Mac 上で PDF や画像を選択し、スペースバーを押してクイックルックウィンドウで開き、ウィンドウの上部にあるマークアップボタン（丸に鉛筆マーク）をクリックします。ウィンドウ上部にある注釈ボタン（iPad のよ

うなマーク）をクリックすれば、有線でつながっていなくても iPad に Mac 上と同じ画面が表示され、書き込み可能な状態になります（p.117 を参照）。

同じような機能で、連係カメラや連係スケッチ機能もあります。Mac の書類に iPad で手書きしたスケッチや、iPad のカメラでその場で撮影した写真を挿入できます。

連係カメラや連係スケッチはそこまで利用頻度は高くないですが、連係マークアップは毎日必ず使っているほど便利な機能です。

Handoff—Mac から iPad への引き継ぎ

Mac の Safari で Web ページを表示した状態で近くにある iPad を開くと、Dock に Handoff アイコン（Safari アイコンの右上に Mac アイコンが付いたもの）が表示される（使用する Mac によってアイコンが変わる、画像は Mac mini）。

iPad に表示された Handoff アイコンをタップすると、iPad の Safari が立ち上がり、Mac で表示していたページと同じページが開く。

Handoff—iPad から Mac への引き継ぎ

メモを開いた状態の iPad を、Mac に近づける。Mac の Dock に Hondoff アイコンが表示される。

Mac の Dock に表示された Hondoff アイコンをクリックすると、Mac のメモアプリが立ち上がり、iPad で表示していたメモと同じメモが表示される。

---

memo | **マーク付きのアイコンが表示されない場合**

マーク付きのアイコンが表示されない場合は、Handoff の設定がオフになっている可能性が高いので、下記のサポートページを参考に設定を確認してみてください。

「Handoff を使ってほかのデバイスで作業を続ける - Apple サポート（日本）」
URL：https://support.apple.com/ja-jp/HT209455

連携マークアップの操作

Mac の「Finder」で連携マークアップを使用したいファイルを表示する。

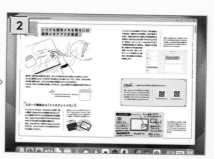

ファイルを選択した状態でスペースバーを押すと、クイックルックウィンドウが開く。

ウィンドウの上部にあるマークアップボタン（丸に鉛筆マーク）をクリックすると、マークアップ画面に切り替わる。

近くに iPad がある場合は、自動的に iPad の画面がつき、Mac 上と同じ画面が表示される。

iPad の画面上で描いたものが、即座に Mac 上に反映される。

連係できるデバイスが複数ある場合は、メニューバーからデバイス選択も可能。

Macにしかないアプリを使うときは「Sidecar」

「Sidecar」は iPad を Mac のサブディスプレイとして使用できる機能です。Mac でしか使えないアプリを使用した際、Apple Pencil を使った細かな作業が必要になった場合に Sidecar を使います。

「Adobe Photoshop」は、iPad 版のアプリもありますが、デスクトップ版と iPad 版では使えるツールやメニューが大きく異なるため、Sidecar を使うことが多いです。無

線でサクッとつながり、タッチ操作や Apple Pencil 操作が可能になるため、ちょっとした時に覚えておくとかなり作業がはかどります。

Mac のコントロールセンターまたは右上のメニューバーから「ディスプレイ」をクリックし、表示される iPad 名をクリックすれば接続されます。

ペンタブレットがなくても、iPad と Apple Pencil を使って細かな描画や操作が可能になる。左図はデスクトップ版 Photoshop を iPad 上で操作しているところ（ミラーリングで使用）。

memo ┆ **Sidecar の詳しい使い方**

Newsletter（7 日間無料）で Sidecar の使い方をより詳しく解説しています。

iPad は単体でも使えるけど Mac と組み合わせて使っても便利
URL：https://ipadworkers.substack.com/p/ipadmac

クラウドを使った連携方法

Apple が用意している連係機能を使わない場合は、クラウドにデータを保存することで、Mac と iPad の連携や、iPad アプリ間の連携がとてもスムーズになります。

AirDrop を使ってデータをやり取りすると、データが複製され同じファイルが 2 つある状態になってしまいます。通信環境がある

場合は、可能な限りクラウド経由でデータをやり取りする方法をおすすめします。

万が一データを間違えて消してしまったり、変更したデータを元の状態に戻したい場合に、復元できる可能性が高くなるのもクラウド経由で連携する場合のメリットです。

Sidecarの操作

Macのコントロールセンターまたは右上の
メニューバーから「画面ミラーリング」をク
リックし、表示されるiPad名をクリックす
れば接続される。

接続できるデバイスが複数台ある場合は、
このように「ミラーリングまたは拡張：」に
複数のデバイス名が表示される。

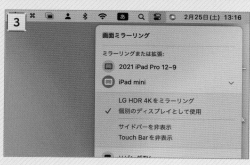

ミラーリングを選択するとMacと同じ画面
がiPadに表示され、「個別のディスプレイ
として使用」を選択するとMacに表示さ
れた画面とは別の画面（2つ目のディスプ
レイ）として認識される。

POINT

各Apple製品にはそれぞれ「得意な作業」と「不得意な作業」が存在するので「得意なことを得
意なデバイスで作業する」ことが重要です。作業内容に応じてMac ←→ iPad ←→ iPhoneを行
き来しながら進める方法がおすすめです。

「iPad → Mac」のように一方向だけの流れにしてしまうと、どうしても効率が悪くなってしまう部分
ができてしまうので、Appleの連係機能やクラウド同期をうまく活用しながら使ってみてください。

標準マップアプリのマイガイド機能

──── 行きたい場所を保存する ────

　標準マップアプリには「マイガイド」という機能があります。自分の好きな場所をリストとして登録しておける機能です。

　たとえば、旅行や出張の予定を立てるときに活用できます。行き先をリストに追加しておくと、標準マップアプリを使って経路検索も可能です。他のユーザとも共有できます。

　ガイドに追加した場所は地図上にまとめて表示できるので、旅程を考える時にも大変便利です。行きたい場所やお店が近くにあれば、まとめて一緒に行けるといったこともわかります。

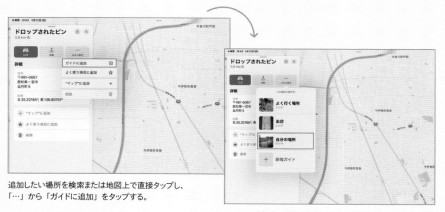

追加したい場所を検索または地図上で直接タップし、「…」から「ガイドに追加」をタップする。

追加先のガイドを選択する。新規ガイドの作成も可能。

ガイドに追加した場所は地図上に一度に表示される。

ガイドは共有ボタンを使って共有すれば、一緒に旅行に行く相手にリストを共有しておくこともできる。

マイガイドの追加はiPadで行い
当日の経路検索はiPhoneを活用する

マップアプリのマイガイド機能はiCloudで同期されているので、iPhoneなどでも確認できます。ガイドに場所を追加する時は画面の大きなiPad を使い、実際にその場所を訪れた際にはiPhoneを使って経路検索を行うような使い方がおすすめです。

経路検索で電車やバスの経路や時間なども表示できる。

次の電車やバスの時刻も確認できるので予定を考える時に非常に便利。

お店の場合は、営業時間や電話番号の他、評価やレビューも確認できる。

地図を 2 本の指で下から上に向かってスワイプすると、3D 表示に切り替わります。ビルの高さなどが立体的に見えるので、より街の雰囲気がわかりやすくなります。

世界主要都市であれば、おすすめスポットが登録されているガイドが公開されています。

検索をタップすると「おすすめガイド」が表示される。　　写真をタップする。

関連する Web サイトの表示やガイドの保存や共有ができる。

4

業務がはかどる iPad 活用術

「スマート注釈」で ドキュメント添削がはかどる

Apple にも Word や Excel、PowerPoint といったオフィス系アプリが存在します。iWork シリーズと呼ばれているアプリ群です。Pages が Word、Numbers が Excel、Keynote が PowerPoint と同等の機能を持つアプリになっており、標準アプリだけあって Apple Pencil との親和性も高いです。

特に Pages にある「スマート注釈」は、手書きで書いたメモと文章データが紐づいた状態になるため、非常に便利です。

使用するアプリ

Pages

文書作成、編集アプリ。Microsoft の Office アプリ「Word」にあたる Apple 標準のオフィス系アプリ。

——————— Apple 無料

iWork シリーズの手書き機能

描画機能は iWork シリーズ（Pages / Numbers / Keynote）すべてで使える機能です。Apple Pencil を使用している場合、Apple Pencil で画面をタップすると描画モードに切り替わり、ドキュメントに手書きが可能になります。

そして、Pages にのみ通常の描画機能に加えてスマート注釈が存在します。

描画モードに切り替わらない場合は、「…」>「設定」>「Apple Pencil」で「選択とスクロール」をオフにする。

スマート注釈

スマート注釈はツールパレットの中にあります。ペンとハイライトの２種類あり、使い方はペンツールやマーカーツールと同じです。

スマート注釈を使うと、テキストやオブジェクト、表のセルと書き込んだ文字がリンクされた状態になります。テキストを追加するな

どして、オブジェクトの位置が動いた場合でも、スマート注釈で描いた注釈は一緒に移動します。また、関連付けられたテキスト、オブジェクト、表のセルを削除すると、注釈も削除されます。

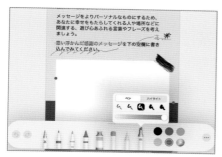

画面下のツールから「スマート注釈」を選択する。

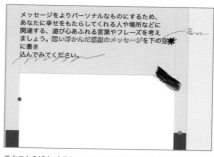

テキストを追加すると、スマート注釈で追加した線などの位置が移動する。

文章の編集に強い

　スマート注釈は文章編集に強いメモを残すことができます。表示・非表示の切り替えも簡単です。

　複数人で共同編集しているドキュメントで自分の意見や修正箇所を伝える場合や、自分1人で使う場合でも、書類や学習ノート作成などに使うと便利な機能です。スマート注釈を使い文章や図に重ねてハイライトを使って線を引いたり、文字の上から線をスタート

して書くと注釈が文字に紐づきます（書いた直後、紐づいた文章や図が赤くハイライトされる）。

　非表示にするには、ツールバー左上のアイコンから「スマート注釈を非表示」をタップします。書き込んだ注釈を非表示にした状態で、編集が可能です。

　また、消しゴムツールでスマート注釈を削除することもできます。

スマート注釈を再度、表示させるには左上のアイコンから「スマート注釈を表示」をタップする。

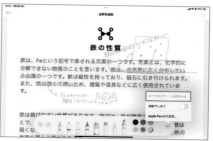

消しゴムツールで削除する以外にも、ツールパレットの「…」から「すべてのスマート注釈を消去」で一度にすべてのスマート注釈を削除できる。

4-2 時間をかけない議事録の作成方法

テンプレートと音声データを活用する

議事録に必要な要素は3つ

議事録で重要なことは、何のために会議が開催されたのか「会議開催理由（目的）」、会議で決まった「決定事項」、そして今後の対応「誰がどんなアクションをするか」がわかりやすくまとまっていることです。

必要な要素がわかっているのであれば、あらかじめ項目を書き入れるための枠（テンプレート）を用意しておき、枠を埋めていく方法が便利です。

「OneNote」で議事録の作成

議事録作成におすすめのアプリは「OneNote」です。OneNote は Windows の PC にもアプリがあるので、iPad だけでなくさまざまなデバイスでノートの閲覧や編集が可能になるからです。また、テキスト入力だけでなく、手書き文字の書き込みも可能です。

Excel や PDF ファイルなどさまざまなファイル形式のファイル添付にも対応しています。

ノートブック、セクション、ページと細かく分けることができ、プロジェクトやクライアントごとにデータを分けて管理できる。

Excel アプリが入っていればタップメニューから直接ファイルを開ける。

議事録テンプレートの作成方法

1 OneNote を起動し、ページを新規作成する。「挿入」タブの「表」をタップし、表を追加する。

2 「表」タブから、行や列の挿入・削除が可能。

3 表のデータは再利用可能。一度作成してしまえば 2 度目からは表の上部の「…」をタップしてコピー&ペーストで表が使える。

4 表の中にテキストを入力していけば議事録の作成が簡単にできる。

［OneNote の魅力 1］
表に直接手書きができる！

iPad 版の OneNote の大きな魅力は、表の上に直接手書きが可能なところ。文字だけでは表現が難しいような内容も、手書きを使ってイラストなどを書き入れればよりわかりやすくなる。

［OneNote の魅力 2］
共有方法が豊富！

共有メニューも豊富で、OneNote で作成したデータはノートブックにユーザーを招待して共同編集したり、ノートリンクで表示したりできるようになる。他にも「ページのコピーの送信」を選べば、別のアプリへデータをコピーしたリプリントしたりもできる。

「Vrew」を使って音声データの文字起こし

特別なアプリをインストールしなくても、標準ボイスメモアプリで、音声録音しながら他のメモアプリやノートアプリを使用することができます。

また、「Vrew」というアプリで、ボイスメモで録音した音声データを文字起こしすれば、必要な部分だけを抜き出して、議事録の作成に活用できます。

Vrew の右側の字幕テキスト部分をタップすると、音声データの該当部分へ移動できる。

音声データの文字起こし方法

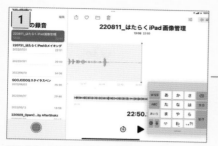

標準ボイスメモアプリで録音した音声データを開く。

共有ボタンから「Vrew」をタップすると、音声データが Vrew に読み込まれる。

「＋新しいプロジェクト」をタップし、「音声」のタブから、読み込まれた音声を選択し、言語を選択する。

音声データの解析が終了すると、右側に文字起こしされたテキストが表示される。

左上のメニューから「全体字幕をコピーする」をタップすると、文字起こしされたテキストをクリップボードにコピーできる。

コピーしたテキストをメモアプリやノートアプリにペーストすれば、自由にテキストを編集できる。

POINT

Vrew では、文字起こししたテキスト部分をタップして、再生ボタンを押せば指定箇所から再生ができるので、標準ボイスメモアプリで聞き直すよりも効率的に振り返りができます。

タスクの管理方法
バレットジャーナルの活用

　バレットジャーナルという手帳術をご存知でしょうか? 私がバレットジャーナルをはじめて知った
のは 2017 年の 2 月頃で、その年の 10 月から本格的にバレットジャーナルをはじめたので、バレッ
トジャーナル歴は 5 年以上になります。

　バレットジャーナルを一言で説明するならば「箇条書きを使ったシンプルな手帳術」です。「や
ること」「予定」「メモ」を 1 箇所に書き出し、記号によって分類します。すべてを箇条書きにする
ことで、素早くわかりやすく記録することができます。

　オリジナルのバレットジャーナルは紙のノートとペンで手書きする方法ですが、iPad を使えば
バレットジャーナルのエッセンスを取り入れつつも、アナログ管理よりもっと便利に活用できます。

手書き派には標準メモアプリ

　オリジナルのバレットジャーナルの手法をよ
り忠実に実行するのであれば、標準メモアプ
リを使います。

　1日1ノートを作成して、上から順に書いて
いくだけです。コツは箇条書きで短くまとめ
ることです。

標準メモアプリなら1行目のテキストをメモのタイトルとして認識してくれるので、最上部に日付を書けばいつのノートなのか簡単に判別できます。

また、手書きで書いた文字も検索できるので、後から検索して探し出すのも簡単です。これはアナログツールにはない、iPad だからこそできるメリットです。

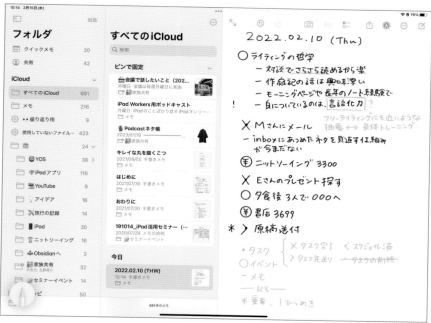

標準メモアプリで作成したバレットジャーナル。

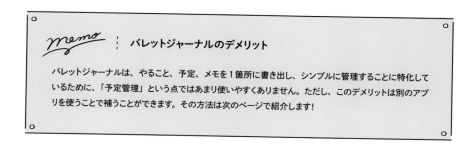

memo : バレットジャーナルのデメリット

バレットジャーナルは、やること、予定、メモを1箇所に書き出し、シンプルに管理することに特化しているために、「予定管理」という点ではあまり使いやすくありません。ただし、このデメリットは別のアプリを使うことで補うことができます。その方法は次のページで紹介します!

標準リマインダーアプリを使ったバレットジャーナル

標準リマインダーアプリは名前の通り、忘れてはいけないことをリマインドしてくれるツールです。指定した場所や時間で通知を送ることができます。だからといって「タスクしか追加してはいけない」なんてことはありません。

一般的には「買い物リスト」や「やることリスト」として利用されますが、私はカレンダーに追加したい予定や、思い付いた事などをすべて一旦標準リマインダーアプリに入れています。

他のアプリとの連携度も高

く、Safari からページ URL の共有も簡単です。また、Siri を使えば音声入力でも簡単に項目を追加できます。アイデアの一時置き場（メモ）として十分活用できるアプリです。

そして、標準リマインダーアプリを使ったバレットジャーナルなら、タスクを予定化することも簡単にできます。

私は、「バレットジャーナル」というリストを作成し、その中に予定や思い付いたことを記録している。

Safari で Web ページを開いた状態から標準リマインダーアプリへ URL の追加もスムーズに行える。

日付指定のタスクは予定に変換する

標準リマインダーアプリを使うメリットは、項目の移行が簡単にできることです。アナログノートや標準メモアプリの手書きバレットジャーナルだと移行に手間がかかりますが、標準リマインダーアプリを使えばドラッグ&ドロップで移行可能です。

標準リマインダーアプリと標準カレンダーアプリを Split View 表示し、リマインダー項目をドラッグ&ドロップでカレンダー上に持っていきます。リマインダーの項目名が入った予定が、カレンダーにイベントとして新規作成されるので、そのタスクに何分かかるかの見積もり時間をざっと入力するだけです。

タスク項目を予定に変換することで、よりタスク完了の確率が上がります。

使用するアプリ

カレンダー

WED
28

すべてのカレンダーアカウントを表示できる。既存の予定をドラッグするだけで予定時間の変更ができる。

—— 無料

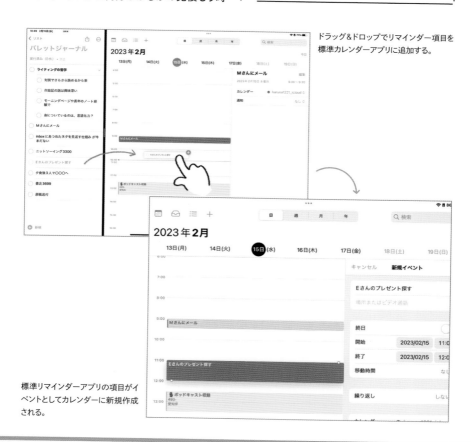

ドラッグ&ドロップでリマインダー項目を標準カレンダーアプリに追加する。

標準リマインダーアプリの項目がイベントとしてカレンダーに新規作成される。

自分の時間をブロックする

　私は、タスクを予定に変換する際、自分が作業できる時間帯を可視化できるようにカレンダー上に「ごはんの時間」や「子どもとの時間」「睡眠時間」などの毎日発生する日常ルーチンを登録しています。カレンダーを分けることによって、予定を確認する場合はこのカレンダーを非表示にし、タスクなどを追加する場合にのみ見えるようにしています。

　他にも「読書時間」や「資格勉強」など、タスクとして見えにくい項目はあらかじめカレンダーに繰り返しの予定として登録すれば取り組みやすくなります。

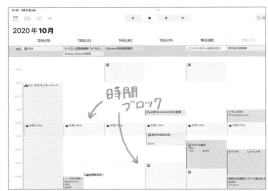

毎日同じ時間に入る予定は繰り返し設定にし、変則的なところだけ削除したり、時間を変更したりすれば、登録の手間が減る。

タスク以外のメモ項目移動も簡単

　リマインダー項目は複数選択したあと、テキストエディタへコピーが可能です。この機能を使えば、一時的なメモとしてリマインダーに追加した項目を別のアプリへ移動するのも簡単です。

　リマインダー項目の上を2本指でドラッグすると複数選択できます。

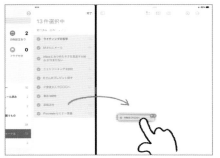

Split View を使って、そのままドラッグ＆ドロップすれば、複数項目を一気に操作できる。

メモアプリやノートアプリなどに簡単に項目をコピー可能。

Siri を使えばより手軽に記録を残せる

iPhone や Apple Watch の Siri を利用した音声入力で「Hey Siri ◯◯をリマインダー」や「Hey Siri ◯◯をリマインドして」と言って項目を追加し、iPad を使って標準リマインダーアプリに追加した項目を予定に変換したり、標準メモアプリにコピーしたりなど、必要な場所に移動できます。

標準リマインダーアプリを色々なことのインボックスとして使う考え方は、バレットジャーナルの1箇所にすべてをまとめる考えにも近いです。Siri を使うなら、設定アプリから「Siri キャプションを常に表示」や「話した内容を常に表示」をオンにしておくといいでしょう。

キャプションや話した内容をテキスト表示しておくことで入力内容の修正が可能になる。

Siri のキャプションを表示

設定アプリから、「Siri と検索」>「Siri の応答」をタップする。

「Siri キャプションを常に表示」と「話した内容を常に表示」をオンにする。

4-4

資料をまとめるのに 最適なフリーボード

iPadOS 16.2 で新しく追加された標準アプリ「フリーボード」は、無限キャンバスの電子ホワイトボードアプリです。資料添付が簡単にでき、キャンバスがどんどん広げられるため、資料をまとめる際にも活用できます。

ここでは、標準メモアプリとの違いや、フリーボードの特徴について紹介します。

使用するアプリ

フリーボード

Apple 標準のホワイトボードアプリ。手書き機能に対応。デバイス間の同期も可能。

——————— 無料

手書きや付箋と資料を 組み合わせられるホワイトボード

フリーボードは、多種多様なファイルを添付でき、ポストイット機能があり、手書きメモの追加も簡単なため、資料まとめに最適なアプリと言えます。

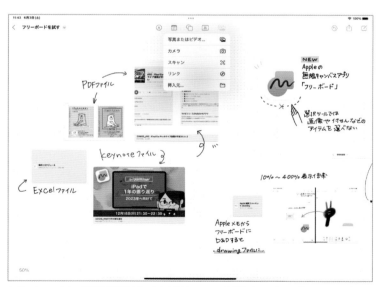

上部のメニューから、写真やビデオ以外にもさまざまなファイルが添付できる。たとえば、Web ページリンクや Keynote ファイルなど。

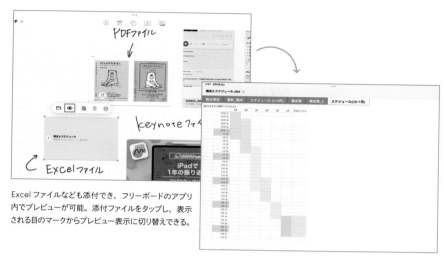

Excel ファイルなども添付でき、フリーボードのアプリ内でプレビューが可能。添付ファイルをタップし、表示される目のマークからプレビュー表示に切り替えできる。

他にも、上部メニューにある付箋ツールを使えば、簡単に付箋を追加できる。付箋の色や文字サイズなども変更可能。

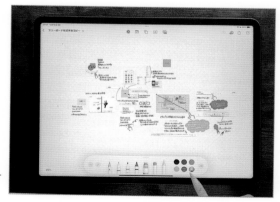

無限キャンバスのため、画面サイズを気にする必要もない。

フリーボードが資料をまとめるのに最適な理由

　資料をまとめるうえで必要な作業は、必要な資料を1箇所に集め、資料を分類し、自分の考えを追加することです。

　「集める」「分ける」「考える」の3ステップを行うのに無限キャンバスのフリーボードは最適です。なぜなら、たくさんの内容を用紙サイズを気にせずに書き連ねられること、全体を俯瞰（拡大縮小表示）できること、そして画像ファイルなどがある程度簡単に添付できること、この3つの条件を満たしているからです。

　手書きが苦手な人は、付箋機能を使うのもおすすめです。フリーボードには付箋機能が独立した1つのツールになっているので、付箋追加がとても簡単です。

Scribbleも使用できるため、キーボードをつないでいない状態でも簡単に文字を入力できる。

---

memo ┊ フリーボードはオフィスアプリ？

標準アプリで使える「ツールパレット」には、アプリによって機能に少しずつ違いがあります。フリーボードは右ページの3種類のツールパレットと比較すると、iWorkシリーズで使用されているツールパレットと同じものであることがわかります。このことから、フリーボードは標準メモアプリよりもiWorkシリーズ（Keynote、Pages、Numbers）に近いアプリと言えるでしょう。

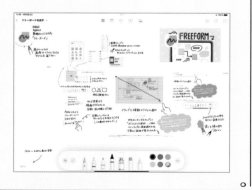

ツールパレットの違い

標準アプリには、「ツールパレット」があるため、どのアプリも簡単に手書きを取り込める仕組みになっています。このツールパレットですが、実は、標準メモアプリで使えるツールパレット、マークアップで使えるツールパレット、iWork シリーズのそれぞれで使えるツーパレットが異なります。

標準メモアプリの
ツールパレット

標準メモアプリのツールパレットには、万年筆や水彩ブラシといったさまざまなタイプのペンが用意されている。ツール上を左右にスワイプすると、定規の右側にまだペンが隠れている。

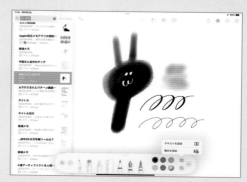

マークアップの
ツールパレット

写真や PDF ファイルなどに書き込みのできるマークアップのツールパレットは、標準メモアプリのツールパレットよりもペンの種類が少なく、その代わりに標準メモアプリにはない「拡大鏡」ツールがある。

iWork シリーズの
ツールパレット

Keynote や Pages などの iWork シリーズのツールパレットは標準メモアプリやマークアップにはない、クレヨンや塗りつぶしのツールがある。一方で定規ツールはない。

iPad で紙の書類を 管理する方法

行政や会社、学校関係など、まだまだ紙文化の根深さは随所に残っています。紙の書類は保管場所の確保や、必要な時に探し出すための管理方法など、数が増えるほどコストがかかります。

iPad を使えば簡単に紙からデジタルデータへ変換できます。もちろん有料アプリがなくても大丈夫です。ここでは「Apple 標準アプリだけで書類をスキャンする方法」について紹介します。

標準ファイルアプリから直接スキャン

スキャナアプリといわれるアプリはたくさん存在しますが、実は標準アプリだけでも書類スキャンが簡単にできます。標準ファイルアプリは A4 サイズ以上の紙の書類でも、簡単にスキャンできるのでおすすめです。

スキャンした PDF 書類にはマークアップ機能を使って手書きもできます。

使用するアプリ

ファイル

Apple 標準のファイルアプリ。デバイス上やクラウド上など保存されている場所にかかわらず、ファイルにアクセスできる。

———————— 無料

標準ファイルアプリで書類をスキャンする方法

保存先を選択して、標準ファイルアプリのサイドバーにある「…」＞「書類をスキャン」をタップする。

カメラが起動したら、書類全体が画面内に入るように調整する。紙の端が自動認識される。

書類部分が青くなり、自動で撮影される（うまくいかない場合は手動で白丸のシャッターボタンを押す）。

撮影されたドキュメントは自動で画像補正されるが、保存前なら自分で調整も可能（トリミング、カラー、回転など）。

「完了」をタップすると、選択した場所に PDF 書類として保存される。

スキャンした PDF 画像に手書きで書き込みも可能。

枚数が多い場合は
ドキュメントスキャナーの併用がおすすめ

　一度のスキャンが 10 枚以上になるならドキュメントスキャナーがおすすめです。iPad だと、紙の書類を机の上に置く→撮影する→次の書類を置く→撮影するを何回も繰り返さなければなりません。

　そういう場合は我が家では ScanSnap シリーズの iX1500 を愛用しています。スキャンしたデータは Dropbox 上のフォルダに保存されるように設定しているので、必要な場合は iPad から簡単にスキャンデータが確認できます。

iX1500 には A4 サイズ以上のプリントも折り曲げてそのまま差し込めばスキャンできる「手差しスキャン」という機能がある。オプションパーツを使用する必要もない。レシートも紙の書類も適当に差し込めば、高速できれいにスキャンされるので、めんどくさがりな人にもおすすめ。

スキャナーから直接データを iPad へ保存する

　ScanSnap シリーズを使用しているなら、「ScanSnap」アプリを使って、スキャナーで取り込んだデータを、クラウドを使用せず iPad に直接保存することができます。iPad とスキャナーを Wi-Fi に接続し、使用するスキャナーを選択します。スキャナーで書類をスキャンすると、iPad 上の ScanSnap アプリにデータが入ります。取り込んだデータは、ScanSnap アプリの「…」から標準メモアプリに追加もできます。

左下の「設定」をタップすれば、読み取り設定もできる。

デジタルデータ化してコストを削減する

我が家では、可能な限り「紙」を減らすために、原本が必要な大事な書類以外はスキャンしたらすぐに捨てるようにしています。

子どもが帰ってきてお便りを渡されたら、その場ですぐにスキャンをしてしまいたい。そんな時に iPad でさっとスキャンしてしまえるのはとても便利です。

紙は1枚1枚だと大したことありませんが、何十枚何百枚もたまってくると、それだけで結構な収納スペースが必要で、そこから必要な書類を探し出すのも大変です。

デジタルデータ化してしまった方が収納スペースも、検索にかかるコストも削減できます。

COLUMN

プリントや書類をイベントと紐づける

標準リマインダーアプリにも画像追加機能はありますが、PDF ファイルは添付できません。一方で標準カレンダーアプリならイベントに PDF ファイルを追加できます。

たとえば、子どもの学校行事など、カレンダーに追加した後、お知らせや持ち物が記載されたプリント資料を iPad でドキュメントスキャンしてイベントに紐づけておきます。

「イベントを編集」から「添付ファイルを追加…」をタップし、ファイルを選択します。この時、カメラロールから写真選択はできません。iPad 本体や、iCloud Drive 上などの標準ファイルアプリからアクセスできる場所に保存されているファイルのみ選択可能です。

共有カレンダーのイベントに PDF ファイルを添付しておけば、家族やグループ間で書類共有も簡単です。カレンダーのイベントに紐づいているので、任意のタイミングで通知も送れます。

直接プリントが手元になくても、iPhone や iPad などの標準カレンダーアプリから簡単にプリントを参照できる。

iPad からの印刷テクニック

iPad でペーパーレスを目指すなら、セットで印刷方法についても考えておく必要があります。ここでは、iPad からの印刷方法や、印刷オプションを使った便利な PDF 保存テクニックを紹介します。

データ化した書類を印刷する方法

AirPrint 対応のプリンタがあると、iPhone や iPad からの印刷がとても簡単にできます。印刷は標準ファイルアプリから行います。オプション設定で、1 枚に印刷するページ数を変更することもできます。

---

memo | **AirPrint について**

AirPrint は Apple のテクノロジーの 1 つで、プリンターのドライバをインストールしなくてもプリントできる仕組みです。

AirPrint について – Apple サポート（日本）
URL：https://support.apple.com/ja-jp/HT201311

---

iPad からの印刷方法

iPad から印刷する場合、標準ファイルアプリで印刷したいファイルを開いた状態で共有ボタンから「プリント」をタップする。

プリントオプションが表示される。オプションを設定した後、右上の「プリント」をタップするとデータが印刷できる。

印刷レイアウトの変更

プリントオプションの「レイアウト」をタップする。

レイアウトの「ページ数／枚」をタップし、1ページに印刷するページ数を増やすこともできる。

「2」を選択すると、1枚に2ページ並んだ状態で印刷される。

右上の「プリント」をタップして印刷する。

> **POINT**
>
> ページレイアウトを変更した上で、「プリント」ではなく共有ボタンをタップすると、1枚に2ページ並んだ状態のPDFファイルとして保存も可能です。ページ数の多いPDFファイルなどは、このプリントメニューを使ってページ数を減らして保存するといいでしょう。

ペーパーレスを目指すなら印刷方法も知っておく

　紙の書類をデータ化して保存し、原本を破棄してしまった後に、やっぱり紙で必要になる可能性も0ではありません。たとえば、子どもにプリント学習させたい時や、申請書類を提出する時などです。そういった時にデータを印刷する方法もセットで覚えておくことが

ペーパーレス化には必須なことです。本当の意味でペーパーレスを目指すなら「紙の書類をいかにデータ化して活用するか」だけでなく、「データ化したものを再度印刷して元の状態に戻せるか」も一緒に考えておくといいです。

「Keynote」で印刷用データを作る

　「Keynote」はもともとプレゼンテーション資料作成ツールなので、紙への印刷を前提としてアプリが設計されていません。しかし、設定さえすれば Keynote でも印刷データを作成できます。

　Keynote からプリントすると、横向きの用紙に縮小プリントされてしまうので、A4 サイズのドキュメントを一旦書き出し PDF 保存してから印刷します。

使用するアプリ

Keynote

Apple 標準の資料作成アプリ。手書き機能に対応。Microsoft PowerPoint のデータを読み込み編集もできる。

—— 無料

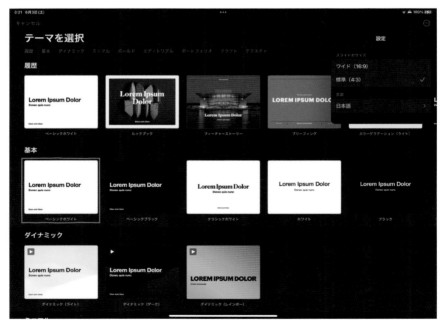

Keynote でドキュメントを新規作成すると、標準（4:3）/ ワイド（16:9）の 2 種類からしかサイズを選べないため、A4 サイズを指定するには、新規ドキュメント作成後に自分でドキュメントサイズを変更する必要がある。

ドキュメントを A4 サイズに指定

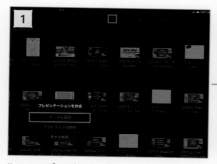

Keynote の「+」ボタンから「テーマを選択」を選び、ドキュメントを新規作成する。

テーマを選択する（テーマは「ベーシックホワイト」などシンプルなものがおすすめ）。

左上のファイル名をタップし、「プレゼンテーションオプション」>「プレゼンテーション設定」を開く。

画面下の「スライドのサイズ」からドキュメントサイズを変更できる。

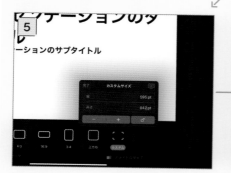

Keynote ではドキュメントのサイズを pt（ポイント）で指定する。A4 用紙サイズ（縦 297mm ×横 210mm）を pt に変換すると、842pt × 595pt になる（計算式は「一辺の長さ（mm）×解像度（dpi）72 ÷ 25.4」）。

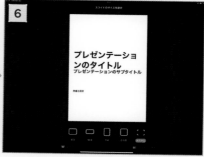

右上の「完了」をタップすれば、A4 サイズのドキュメントが完成する。

Keynote から印刷

プレゼンテーション名をタップし、「書き出し」>「PDF」を選択する。

レイアウトオプションは1枚に1スライド、その他のオプションはすべてオフの状態で「書き出し」をタップする。

書き出し後に表示される画面から青い「共有」ボタンをタップする。

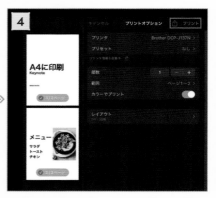

共有メニューから「プリント」を選べば、A4用紙を縦に印刷可能。

---

memo : **Keynote でも印刷用データは作れる**

普段 Keynote を使うことが多い人は、Keynote で A4 用紙に印刷する方法についても知っておくと Keynote の利用範囲が広がるでしょう。文字がメインの文書ファイルは Pages の方が便利ですが、画像メインなら Keynote の方が操作しやすいです。

Keynote はプレゼンテーション資料作成アプリとして説明されるので、自分には関係ないアプリだと感じている人も多いですが、実は色々使える優秀なアプリなので、ぜひ一度試してみてください!

iPad でのテレビ会議は縦画面がおすすめ

テレビ電話での打ち合わせや会議が日常的に行われるようになりました。iPad にはカメラもマイクも内蔵されているので、1台で完結するところがメリットの1つです。さらにちょっとした工夫で会議や打ち合ちせのクオリティをあげることができます。

——— Apple 純正アクセサリを使うと横向きが標準になる ———

普段みなさんは、Zoom や Google Meet などのビデオ会議に参加する時、デバイスをどんな「向き」で使用しますか?

iPad は「縦向き」「横向き」どちらでも使うことができますが、どちらかと言えば横向きで使ってる人の方が多いような気がします(App Store のアプリ詳細ページを見ていても縦向きより横向きのスクリーンショットの方が多いです)。Apple 純正の「Magic Keyboard」や「Smart Keyboard Folio」、「Smart Folio」などが横画面にしか対応していないことも原因の1つだと思うのですが、iPad に使えるカバーやスタンド類も多くが横向きで使う前提の設計になっています。

iPad が横向きの状態で Zoom を使った場合、正面を向く(iPad の画面を見る)とカメラから目線が大きく外れてしまいます。特にセンターフレームをオンにした場合、全体的にカメラが斜めに傾いているような印象になってしまいます。iPad を横向きで使っていると、カメラの位置が右か左かどちらかに寄ってしまうので、テレビ会議の相手と目線を合わせるには意識的にカメラの方を見ないといけません。慣れればそんなに難しいことではありませんが、通話相手の顔(iPad の画面)を見ると目線が外れる、というのはやはり違和感が大きいです。

——— iPad を縦画面にすれば目線が外れにくい ———

iPad の画面を見ていても自然とカメラ目線にするためには、カメラ位置と顔の向きのずれが少なくなるように配置すれば OK です。

iPad を縦画面にすると、iPad のちょうど中心にカメラがくるので、iPad の画面を見ていても自然と目線は真っ直ぐになります(やや目線は下の方を向くが、顔の向きは正面になるので自然)。

縦画面でも Split View は可能なので、Zoom をしながら資料の確認も問題なくできます。

ただし、縦画面にも弱点があります。縦画面では、全画面でも Split View でも、画面がすべて縦長になってしまい、上下の余白が気になります。ウェビナーのような自分側のカメラを映す必要のない場合は、横向きに、自分が発言するような場合(自分の映像を映す場合)は iPad を縦向きにして使用するなど、時と場合によって「縦向き」「横向き」を切り替えるといいでしょう。

iPad を縦向きで使えるスタンド

ビデオ会議の時には相手との目線が合う位置になり自然に映る、縦画面をおすすめしました。しかし、縦画面にも欠点があるので、その時々で使い分けられたらもっといいでしょう。ここでは、そんなどちらにも対応できる便利なスタンドを紹介します。

下の写真で使用しているのは「LULULOOK」というマグネットでくっつくタイプのスタンドです。このスタンドは iPad を取り付ける部分が 360 度くるくる回せるので、iPad を縦向きにすることも簡単です。

他に、MOFT タブレットスタンドなども縦向きに対応しています。

Magic Keyboard や Smart Keyboard Folio の弱点として、縦画面に対応できないことがあるので、縦置きできるスタンドが 1 つあると非常に便利です。

LULULOOK、MOFT タブレットスタンドのいずれも Magic Keyboard や Smart Keyboard Folio と併用できるところがおすすめポイントです。

iPad の画面ではなくカメラの方を意識的に見るように心がけることで、目線を合わせることができます。しかし、iPad の向きを最初から縦向きにしておくという仕組みで解決してしまった方が負荷は少なくて済みます。

ビデオ会議やウェビナー参加の機会が増えていると思うので、よかったら試してみてください！

アクセサリの活用

5-1 キーボードを使ったショートカット

　iPad には Magic Keyboard や Smart Keyboard Folio といった、便利なキーボードアクセサリがあります。もちろん Apple 製品だけでなく、Bluetooth 接続のキーボードを使うこともできます。ここでは、キーボードを使っている場合に、効率的に作業ができるショートカットを紹介します。

ショートカット一覧に載っていないショートカット

　iPad にキーボードをつないでいる場合、アプリを開いた状態でコマンドキー（⌘）や地球儀マーク（⊕）をロングタップすると、そのアプリで使用できるキーボードショートカットが表示されます。この他にも便利なショートカットがあります。たとえば、Safari のキーボードショートカット一覧には表示されませんが、使えるショートカットなどです。

Safariで使えるキーボードショートカット

ページをスクロールする

| `SPACE` | ：下にスクロール | `SPACE` + `SHIFT` | ：上にスクロール |

`⌘` + `▲` ：ページ上部に移動 　　`⌘` + `▼` ：ページ下部に移動

スクリーンショットを保存する

`⌘` + `SHIFT` + `3` ：**スクリーンショット保存のみ（左下にサムネイルが表示）**

`⌘` + `SHIFT` + `4` ：**スクリーンショット撮影後マークアップ画面になる**

POINT

Safariのアドレスバーの上をタップしてページの1番上までスクロールするのと同じことが「`⌘`+`↑`」で可能です。

音声入力にショートカットキーを設定

　設定アプリで音声入力ショートカットと音声入力言語の設定を変更することで、音声入力が快適になります。

　音声入力ショートカットはキーボードが接続されている時のみ表示される項目です。Magic Keyboard や Smart Keyboard Folio、その他 Bluetooth 接続のキーボードをつないでいる場合に、特定のキーを押すと即座に音声入力がスタートします。私は `Ctrl` を2度押すと起動するように設定しています。

「設定」>「一般」>「キーボード」から音声入力のショートカットを設定する。音声入力言語で英語をオフにすると、キーボードが英語入力時でも強制的に日本語で音声入力が可能。

トラックパッドの活用

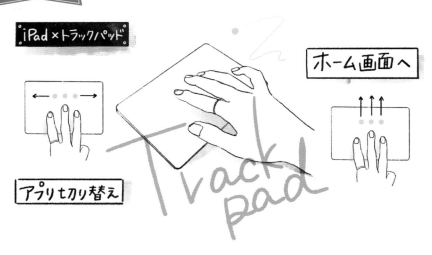

iPadをキーボードと一緒に使う時など、トラックパットを活用すると作業がスムーズです。ここでは、基本的なトラックパッドの設定とよく使う操作について紹介します。

トラックパッドの接続と基本設定

トラックパッドのスイッチをオンにすると、「設定」>「Bluetooth」に、デバイス名が表示されます。トラックパッドをMacなどに接続して使用している場合は、接続を解除してからiPadとペアリングします。

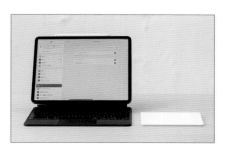

「設定」>「Bluetooth」から接続を行う。

マウスやトラックパッドを接続した場合にのみ設定項目が表示される（「設定」>「一般」>「トラックパッドとマウス」）。

トラックパッドの設定項目

トラックパッドの設定項目は以下の4つあります。個人的には下の項目の2～4をオンにすることがおすすめです。

通常、クリックはトラックパッドをカチッと強く押し込む必要がありますが、「タップでクリック」をオンにしておくと、トラックパッドのタップだけでクリックできます。

「設定」＞「一般」からトラックパッドの設定ができる。

4つの設定項目

1 軌跡の速さ
2 ナチュラルなスクロール
3 タップでクリック
4 2本指で副ボタンのクリック

POINT

「設定」＞「アクセシビリティ」＞「ポインタコントロール」からポインタの色やサイズ、時間経過で非表示にするなどを設定できます。この設定も、マウスやトラックパッドを接続した場合にのみ設定項目が表示されます。

---

memo ┃ **接続方法や設定を動画で確認する**

iPadにトラックパッドを接続する方法や、おすすめの設定などはYoutube動画「iPadでトラックパッドを使う方法とおすすめの設定【iPadOS13.4新機能】」や「iPad×トラックパッドの使い方! Split ViewやSlide Overなどのマルチタスク操作方法解説」でも紹介しています。

https://youtu.be/-PejeL0M8-U

https://youtu.be/KBKOcDIPkkw

iPad × トラックパッドの操作

Magic Trackpad 2、iPad 用 Magic Keyboard、Magic Keyboard Folio などを使うと、マウスにはできない 2 本または 3 本の指での操作ができます。その中でもよく行う操作を紹介します。

コントロールセンターを開く

マウスポインタを右上のバッテリーアイコンの上に合わせてタップ、または右上隅からさらに右上にスワイプするとコントロールセンターが表示される。

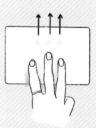

ホーム画面に切り替える

アプリを開いている状態で、3 本指で下から上に向かってスワイプすると、ホーム画面に切り替わる。3 本以上の指で操作すればホーム画面に戻れるので、4 本指や 5 本指で同じ操作をしても問題ない。また、ホーム画面の 2 ページ目や 3 ページ目の画面上で、同じように操作すると 1 ページ目のホーム画面に戻る。

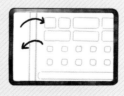

画面を切り替える

アプリを開いている状態で、3 本指で左右にスワイプするとアプリが切り替わる。Slide Over 上のウィンドウでも同じように操作をすると、Slide Over で開いているウィンドウが切り替わる。Slide Over のウィンドウ下部にある黒いバーを左右にドラッグしても同じように切り替えられる。

開いているアプリを一覧表示する

3本指で下から上にスワイプ（途中で止める）
すると、Appスイッチャーが開く。Slide Over
を開いている時に同じ操作を行うと、開いている
アプリの一覧が表示されSlide Overで使用す
るアプリを切り替えられる。

Appスイッチャーが開いた状態。

Slide Overの画面で、3本指で下から上にスワイプする。

→

開いているアプリの一覧が表示される。

表：2本指で操作するジェスチャ

操作前の画面	動かし方	目的
Appスイッチャー画面	アプリを上にスワイプ	アプリを終了する
ホーム画面	左右にスワイプ	ホーム画面の2ページ目、3ページ目を表示する
コントロールセンターを画面	上下にスワイプ	音量や画面の明るさを調整する
Safariを開いた画面	左右にスワイプ	ページを戻す・進める（画面が拡大表示になっている場合は、画面内の移動になる）

マウスの活用

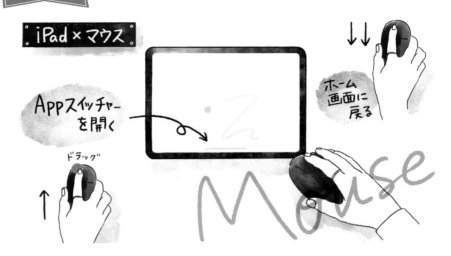

iPadは直接画面を触って操作できることがメリットですが、どうしても自分の手やペン先で画面が隠れてしまうことがあります。

Apple標準のアプリは、手で画面が隠れてしまっても問題ないようなメニューボタンやジェスチャ操作をたくさん取り入れているため、マウスがなくても快適に動かせます。しかし、Apple標準以外のアプリの中にはPC用のアプリをそのままiPad版として提供しているようなものもあるため、そういったアプリで細かな操作をするなら、マウスの活用がおすすめです。

マウスを接続するときの基本設定

Bluetooth接続のマウスであれば、マウスの電源を入れてペアリングモードにした状態で、「設定」＞「Bluetooth」から表示されたデバイス名を選択します。

AppleのMagic Mouseの場合は、電源がオンになっていればペアリングモードにする必要はありません。

マウスがiPadにつながると、画面上にマウスポインタが表示されます。

充電ウィジェットでマウスの電池残量を確認

Magic Keyboard や Smart Keyboard Folio などは Smart Connector によって iPad と接続され iPad から給電されているため、充電不要で動きます。

しかし、一般的な Bluetooth 機器なら充電が必要です。使おうと思ったら電池が切れていて使えなかったという経験はないでしょうか？

充電ウィジェットを iPad に追加しておくと、電池残量の確認が手軽にできるため、電池が切れる前に充電ができます。

「今日の表示」に 充電ウィジェットを追加

私は iPad のホーム画面ではなく、「今日の表示」に充電ウィジェットを追加している。「今日の表示」に追加しておくと、iPad がロック状態でも、画面の左端から右に向かってスワイプするとウィジェットが確認できるからだ。ロック画面で「今日の表示」を出すには、「設定」＞「Face ID（Touch ID）とパスコード」＞「"今日の表示"と検索」をオンにする。

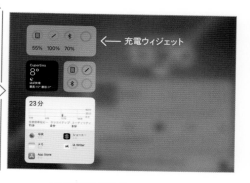

← 充電ウィジェット

「今日の表示」の編集

ホーム画面に「今日の表示」を表示させる場合は、ホーム画面（1 画面）の左端から右にスワイプする。「今日の表示」の 1 番下にある編集ボタンから、ウィジェットの追加や削除が可能。充電ウィジェットを追加する場合は「バッテリー」を選択する。

3 種類の 充電ウィジェットから選択

充電ウィジェットの種類は 3 種類ある。1 番大きなウィジェットにすると機器名まで表示される。Apple 純正のアクセサリ、Apple Pencil や AirPods などはアイコンの形で区別しやすいが、それ以外の Bluetooth 機器はすべて Bluetooth マークになるので、Bluetooth 機器の接続数が多い場合は、機器名を表示させておくといい。

iPad × マウスの操作

マウスで iPad を操作する時、普段のタッチ操作にはない特殊な操作方法があります。ここでは、5つのマウス操作を紹介します。

アプリ画面からホーム画面へ戻る

アプリを立ち上げている時、ホーム画面へ戻るには画面下に向かって2回マウスを動かす。マウスポインタが画面下部にくっついた状態からさらに下に押し込むようなイメージ。

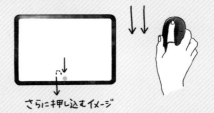

さらに押し込むイメージ

App スイッチャーを開く

App スイッチャーを開くには、ホーム画面で画面の下部までマウスポインタを持っていく。アプリを開いている場合は、画面下部に表示されているバーを画面中央までドラッグする。

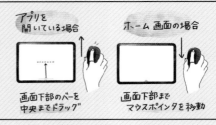

アプリを開いている場合　　ホーム画面の場合

画面下部のバーを　　　　　画面下部まで
中央までドラッグ　　　　　マウスポインタを移動

Dock を開く

Dock を開くには、マウスポインタを画面の1番下へ移動させる。

画面下部まで
マウスポインタを移動

通知センターを開く

通知センターを開くには、画面左上にある、時刻や日付の表示されたステータスアイコンをクリックするか、画面上部からさらにマウスポインタを上に向かって押し込む。

画面左上の　　　　　　　画面上部に
ステータスアイコンをクリック　マウスポインタを
　　　　　　　　　　　　　押し込む

コントロールセンターを開く

コントロールセンターを開くには、画面右上にある、バッテリーなどのステータスアイコンをクリックするか、画面の右端隅からさらに右上に向かってマウスポインタを押し込む。

画面右上の　　　　　　　画面右上に
ステータスアイコンをクリック　マウスポインタを
　　　　　　　　　　　　　押し込む

おすすめのアプリ

6-1 ［タイプ別］おすすめのメモアプリ

メモを取るスタイルに合わせてアプリを選ぶ

標準のメモアプリだけでもできることは幅広く、最初に使うメモアプリとしては十分におすすめできますが、ある程度使いこなしてきた人はやや物足りないと感じるかもしれません。そこで、メモを取るスタイルに合わせてタイプ別に「おすすめのメモアプリ」を紹介していきます。

自分のタイプを知る

まずは、自分がどのタイプに属するのか、考えてみてください。

メモを取るスタイルには次の3つのタイプが存在すると言われています。

- ·The architect（建築家）
- ·The gardener（ガーデナー）
- ·The librarian（図書館員）

建築家は、設計図を元に計画を立てていきます。すべてを前もって計画し、家の中にどのくらい部屋があるのか、窓が何個あるの

か、配線や配管はどうなっているのかを考えた上で屋根や壁の材質を選んでいきます。つまり、仕切りのある箱の中に、素材となるパーツを詰め込みながら完成形を目指したい人はこのタイプです。

ガーデナーは、庭にさまざまな植物を植え、育ててガーデンを形成します。種を蒔いた時点では庭全体がどのようになるのか見えていません。植物の成長とともに庭全体が形となり整っていきます。つまり、アイデアとなるタネをたくさん集め、集めたアイデアのタネをくっつけ、育てたい人はこのタイプです。

図書館員は、さまざまな種類の蔵書を1箇所に並べて、似た分野の情報をまとめて取り出せる環境を作ります。つまり、膨大な資料を集めたり、カタログを作ったりすることが好きな人はこのタイプです。

自分がどのタイプに最も近いかを考えてみてください。私は自分のことを「建築家よりのガーデナータイプ」だと思っています。

3タイプそれぞれに、どんなアプリが向いているでしょうか? タイプ別に、おすすめのメモ・ノートアプリを紹介します。

建築家タイプには構造化が得意な「Notion」

建築家タイプにおすすめのアプリは「Notion」です。

Notion は構造化した状態でデータを保存します。また、情報をブロック単位で操作できるので、アイデアやメモ同士をパズルのピースのように組み合わせることが簡単にできます。

Notion は、あらかじめ型を作ってからデータを入れていく、というデータベース型のアプリなので最初は難しく

感じるかもしれませんが、慣れてしまえば便利なメモアプリになります。

個人で使う分には、無料プランでも十分です。

データベースの表示方法や表示項目はカスタマイズが可能。

おすすめアプリ

Notion

Notion は、メモやタスク管理、ドキュメントやデータベース作成などさまざまなことができるアプリ。

Notion Labs, Incorporated
無料　App 内課金あり

手書き重視なら

OneNote

OneNote はノートブック・セクション・ページという3つのノート構造でメモを管理する。OnoNote の活用法は p.126 を参照。

Microsoft Corporation
無料　App 内課金あり

ガーデナータイプには
メモのリンクが得意な「Obsidian」

ガーデナータイプにおすすめのアプリは「Obsidian」です。

メモ同士をリンク機能を使って簡単につなげることができるのでアイデア同士をくっつけることや、アイデアを育てることが得意なアプリです。

基本はテキストベースのメモが中心ですが、プラグインを追加することで手書きメモやPDFファイルなども扱えます。

プラグインで自由に機能を追加できる。

おすすめアプリ

Obsidian

Obsidianは、Markdownファイルで動作するネットワーク型のテキストメモ作成アプリ。

Dynalist Inc.
無料

リンク機能に優れている

Roam Mobile

Obsidian以外でリンク機能に優れているアプリ。Mac向けアプリ名は「Roam RESEARCH」。

Roam Research, Inc
無料

図書館員タイプには
どんなデータも受け取る「Evernote」

図書館員タイプにおすすめのアプリは「Evernote」です。画像からPDF、Webページのアーカイブなど、さまざまな種類のデータを受け取ることができます。また外部連携機能も豊富でさまざまなアプリやサービスと簡単に連携ができます。

無料アカウントだとデバイス数の制限（2台まで）や容量制限（60MB/月）があるので、何でも気にせずメモを入れておくにはPersonal以上の有料プランが必要になります。

Evernoteは、マルチプラットフォームで動作するクラウド型のメモアプリなので、普段WindowsのPCを使用している人にもおすすめです。

画像内の文字検索も可能

おすすめアプリ

Evernote

ノート、ToDo、スケジュールなどあらゆるデータをまとめて管理、同期できるノートアプリ。

Evernote Corporation
無料　App 内課金あり

よりリーズナブル

Bear

Web ページをきれいにアーカイブできる。複数端末で同期するには有料プランの契約が必要。

Shiny Frog Ltd.
無料　App 内課金あり

自分に合うメモアプリを選ぶ

建築家、ガーデナー、図書館員の 3 つのタイプは、どれが正解というわけではありません。自分に最も合うスタイルはどれかを一度考えてみると最適なメモアプリが見つかりやすくなります。

また、1 つのアプリに限定する必要もありません。

今回おすすめアプリに挙げた Notion、Obsidian、Evernote はどれも URL を使っ

てノートを開く機能を持っているので、リンクの扱えるアプリからなら簡単に特定ノートを開くことができます。

他のアプリと組み合わせて使うことも可能です。

メモを取るスタイルに合わせてアプリを選ぶ、アウトプットの形から逆算して、適した形でエクスポートできるアプリを選ぶようにするとより iPad を活用できるはずです。

6-2 データ管理アプリ

iPad は多機能でいろいろなことができるため、扱うデータが多く、また多様になりがちです。iPad を効率的に使いこなすには、データ管理がちゃんとできていることが大切です。ここでは、さまざまなデータを管理するための便利テクニックを紹介します。

標準ファイルアプリ

標準ファイルアプリはファイルの管理だけでなく、ファイルの圧縮や解凍ができる優れたアプリです。iPadOS 16 からは「ファイルの拡張子の変更」機能も追加されました。

他にも、ナビゲーションボタンで一気に上の階層へ移動したり、フォルダサイズの表示ができます。

おすすめアプリ

ファイルアプリ
Apple 標準のファイルアプリ。デバイス上やクラウド上など、保存されている場所にかかわらず、ファイルにアクセスできる。
無料

「表示スタイルアイコン」>「表示オプション」>「すべての拡張子を表示」をオンにすると、ファイル拡張子が表示される。

フォルダ名横の下向き矢印をタップしてメニューを表示し、「名称変更」から拡張子を変更する。

標準ファイルアプリで背景の削除や PDF 作成

標準ファイルアプリでファイルを選択後、「その他」のメニューから「背景を削除」や「イメージ変換」「PDF を作成」などができる。背景を削除すると、「' ファイル名 ' の背景が削除されました .png」ファイルが自動で生成される。

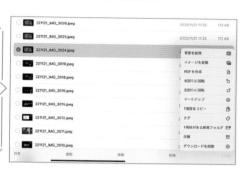

切り取った画像はそのまま別のアプリへ移動できる

背景を切り取った画像を保存しなくても、画像をロングタップしたまま別のアプリに移動できる。切り取った画像をファイルとして保存する必要はなく、別のアプリに配置したいだけなら被写体をドラッグすればいい。

PDF への注釈もファイルアプリだけで完結

PDF ファイルへのコメント追加やマークアップでの手書きの注釈などは、標準ファイルアプリのみで完結する。ページのコピーや入れ替え、白紙ページの挿入、PDF 結合など PDF 編集作業が標準ファイルアプリ1つでできてしまう。

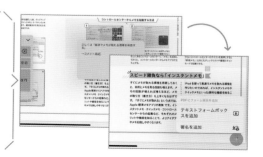

iPadでファイルを検索する３つの方法

iPadでファイルを検索する場合、３種類の検索方法があります。①標準ファイルアプリで検索、②個別のアプリ内で検索、③Spotlightを使った検索です。それぞれ特徴があるので、自分が保存したファイルの状態（ローカルにあるのかクラウドにあるのかなど）によっても最適な検索方法が変わってきます。

ファイル保存場所が分散してもいい場合は、アプリごとに用途を分けて、〇〇アプリには仕事の資料を保存、〇〇アプリには家族で使う書類を保存というように、ある程度分類しておくと探しやすくなります。

ただし、どの検索方法でも保存しただけでは見つけられなくなる可能性が高いです。必要な時に必要なものを探し出せるように、いらなくなったデータをこまめに削除（削除できないものは普段メインで使わない場所にアーカイブ）したり、ファイル名の頭に6桁の日付を付けるといったデータの命名規則を徹底したりなど、ちょっとした手間が必要です。

①標準ファイルアプリでファイルの検索

iCloud上やiPad本体に保存してあるデータならば、標準ファイルアプリを使って検索するのがベストです。標準ファイルアプリでは、対応アプリ内のデータも管理できるようになっています。

ファイルアプリ以外の
アプリにあるファイルを検索

Dropbox にあるファイルの場合、サイドバーで「Dropbox」を選択した状態で、検索ボックスにキーワードを入力すると、「最近使った項目」と「Dropbox」から検索できる。

サイドバーの編集

サイドバーの右上にある「…」>「サイドバーを編集」をタップすると、iPad にインストールしてあるアプリの中から、標準ファイルアプリに対応しているものが選択できる。

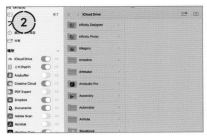

追加できるアプリをすべて追加すると、サイドバーが長くなりすぎてしまうので、自分がよく使うものだけ追加するようにするといい（私がよく使っているのは iCloud Drive と Dropbox）。

---

②個別のアプリ内でファイルの検索

　iCloud Drive などを使っていると、使っていないファイルはクラウド上のみで管理し、iPad 本体のストレージからファイルそのものは自動的に削除されます。標準ファイルアプリの検索機能では、そういったファイルがクラウド上にあるものは検索対象になっていないようです（Apple の iCloud Drive 上にあるデータではなく、Apple 以外のサービス上にあるもののみ）。

　実際に私の環境では、ファイル名横にクラウドマーク（雲＋下向き矢印のマーク）が表示されているファイルは検索対象になっていません（iCloud Drive 上にあるものはクラウドマークでも検索対象になっている）。

　標準ファイルアプリでうまく検索できないような場合は、ファイルを保存しているサービス上やアプリ内で検索する方がいいでしょう。

Dropbox のフォルダー内

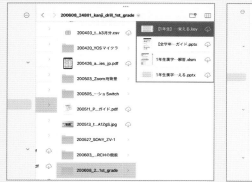

Dropbox 内のファイルを検索した結果

Dropbox 上に保存してあるデータであっても雲のマークが付いている場合は、標準ファイルアプリでファイルが保存されている場所を開くとファイルは確認できても、キーワード検索ではヒットしないということが起こる。

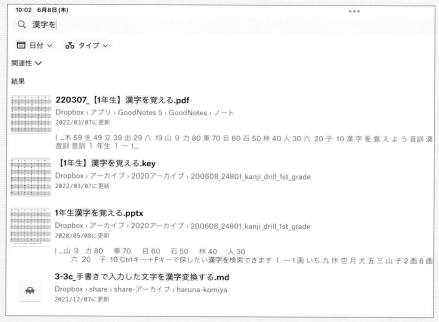

標準ファイルアプリ内では検索できなかったが、Dropbox アプリ内で検索するとクラウドにあるファイルも問題なく検索される。

③Spotlight を使ったファイルの検索

Spotlight 検索では、ファイルアプリや単一アプリ内での検索ではできなかった、串刺し検索が可能になります。

ホーム画面で上から下にスワイプすると、Spotlight 検索が表示されます。キーボードをつないでいる人は「⌘＋スペース」でも表示でき、ホーム画面以外のアプリを開いている状態からでも表示されます。

Spotlight 検索を使うとアプリを横断して検索できるので、どこにファイルを保存したかわからなくなってしまった時などに便利です。

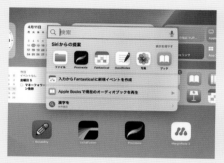

Spotlight 検索を表示するには、画面の上部 1cm くらいを上から中央に向かってスワイプする（上端からスワイプすると通知センターが表示される）。

「その他の結果を表示」をタップすれば、検索結果が増える。

POINT

GoodNotes 5 のノートなども検索結果として表示されますが、Spotlight で検索できるのはノートのタイトルのみです。ノート本文に書かれている手書き文字を検索する場合は、GoodNotes 5 アプリ内で検索する必要があります。そういった時は、Spotlight の検索結果で、右側に表示される「App で検索」（対応しているアプリのみ）をタップすると検索欄にキーワードが入力された状態でアプリが起動します（App 内を検索した状態で開く）。

バージョン履歴を自動保存できる「Dropbox」

　私は iCloud とは別にファイル共有や大容量のデータ転送が簡単な「Dropbox」を使用しています。Dropbox には無料版でも 30 日間のバージョン履歴保存期間があります。間違えて上書きしてしまったファイルや削除してしまったファイルなども復元可能なので、万が一の時に安心です（ただしファイルのバージョン履歴機能はアプリではなく Web 版で

のみ利用可能）。

　iCloud Drive のファイルも削除したファイルは 30 日以内なら復元可能ですが、編集履歴からファイルを復元するバージョン管理機能は一部対応アプリでしか使用できません。バージョン管理機能のあるアプリ以外で作成したファイルは、Dropbox のバージョン履歴が使えると安心です。

ファイルリンクをコピーするだけで簡単にファイルのダウンロードリンクが作成できる。

バージョン履歴の確認方法

ファイルをプレビュー表示し、詳細パネルから「アクティビティ」＞「バージョン履歴」をクリックする。

バージョン履歴の確認と復元ができる。

多機能ファイル管理アプリ「Documents」

「Documents」を使うと、文章ファイル以外にも、メディアファイル、電子書籍など、さまざまなデータを PC のブラウザから iPad へ簡単に追加できます。

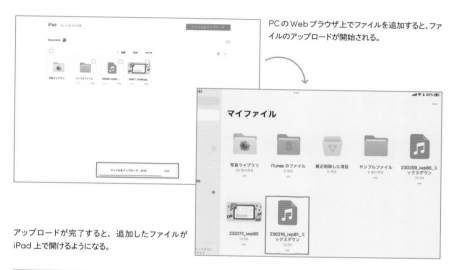

PC の Web ブラウザ上でファイルを追加すると、ファイルのアップロードが開始される。

アップロードが完了すると、追加したファイルが iPad 上で開けるようになる。

音声・動画ファイルの再生機能が優秀

音声や動画ファイルなどは、アプリ上で再生できる。さらに動画ファイルの場合、ピクチャ・イン・ピクチャ機能で別の作業をしながらでも再生できる。標準ファイルアプリでも音声や動画ファイルの再生は可能だが、簡易機能のみのため再生速度の調整などはできないが、Ducument にアップロードすればそれらも調整できる。

おすすめアプリ

Documents

ファイルを一括管理できるアプリ。文書ファイル、メディアファイル、Office ファイルや電子書籍など、多くのファイル形式に対応し表示できる。音楽・動画プレーヤー機能も付いているので、標準ファイルアプリよりも使い勝手がいい場合も。

Readdle
Technologies Limited
無料　App 内課金あり

スケジュール管理アプリ

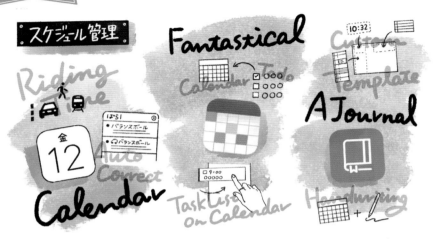

　スケジュール管理に使えるアプリを3つ紹介します。それぞれメリット・デメリットがあるので、機能を比較しつつみなさんの生活スタイルにあったアプリを選択するといいでしょう。

移動時間の表示ができる標準カレンダーアプリ

　私が使用しているスケジュール管理アプリは標準カレンダーアプリです。

　標準カレンダーアプリには「移動時間」という項目があり、移動時間を入力すると予定の時間とは別に移動時間がカレンダー上に表示されます。

　移動時間は手動で選択する以外に位置情報からの自動入力も可能です。 出発地、目的地、移動手段の選択によって、移動に何分かかるのか自動で計算されます。

　移動時間を自動入力するためにも、カレンダーに予定を追加する場合は可能な限り位置情報も一緒に入れるようにしましょう。

点線になっている部分が移動時間の表示。

位置情報が入っていると自動で計算された時間が表示される。

予測変換で予定の登録がスムーズになる

標準カレンダーアプリは、過去に登録したことのある予定と似ている予定を登録しようとすると、予測変換でその予定（位置情報なども含め）を簡単に入力できる機能があります。わざわざ時間や場所を入力しなくて済むので、予定の登録も楽です。

カレンダー上にタスク表示ができる「Fantastical Calendar」

　標準カレンダーアプリには日付指定のあるリマインダーのタスクを表示できません（詳細は p.133 を参照）。

　Apple 以外のサードパーティアプリならリマインダー項目をカレンダー上に表示できるアプリがあります。その中でも、「Fantastical Calendar」は、カレンダーのタイムライン上にリマインダー項目が表示でき、日表示や週表示で切り替えも可能です。

　1 つのアプリでスケジュールとタスクの確認ができるので、忙しい社会人にとっては効率がいいアプリです。

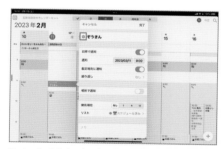

Fantastical Calendar 上でチェックボックスをタップすればタスクを完了済にできる。

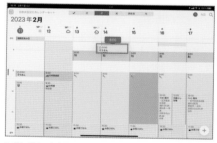

わざわざタスクを開かなくても、ドラッグ＆ドロップするだけで通知日時を変更できる。

おすすめアプリ

Fantastical Calendar
タスクと予定を一括管理できるカレンダーアプリ。一括で管理したい人におすすめ。

Flexibits Inc.
無料　App 内課金あり

手書きができる手帳アプリ「AJournal」

「AJournal」は iPad を手帳として使いたい人におすすめのアプリです。スケジュール管理はもちろん、タスク管理や習慣管理にも最適です。数多く存在する手帳アプリの中でも、予定の編集がアプリ内で行えるものは意外と数が少なく、表示はできるが、編集はできない読み込み専用タイプがほとんどです。

AJournal はカレンダーの予定がアプリ内で編集可能な手帳アプリです。さらに PencilKit 対応なので、手書きメモが簡単に残せます。カレンダー予定の上に手書きのメモを書き込めるので、デジタルとアナログの両方のメリットを活かせます。

使いこなしたいという場合には、サブスクリプション登録をした方がさまざまな機能が使えていいですが、無料でも使えます。ユーザー登録などは特に必要なく、アプリをダウンロードすれば簡単に使用できます。自分の使い方に合っているアプリかどうかの確認は無料のままでも十分可能です。

AJournal は1日1ノートであれば無料で使用できる。課金しないと週表示が使えないなどの制限はない（その代わり無料の場合は広告が表示される）。

おすすめアプリ

AJournal

予定の編集、手書きができるなど、他のアプリには珍しい機能があるデジタルジャーナル／プランナーアプリ。iCloud 同期を使用したり、1日1ページ以上（プロジェクトページは5ページ以上）のページを追加するには月350円のサブスクリプション登録が必要。

WonderApps AB
無料　App 内課金あり

AJournal はテンプレートのカスタマイズ性が高い！

AJournal の魅力は、写真やステッカー、テキストボックスが追加できることや、フォーマットのカスタマイズ性がとても高いことです。

既存テンプレートの数も豊富ですが、ブロック単位で好きなパーツをページにレイアウトできるデザインテンプレートが非常に優秀です。

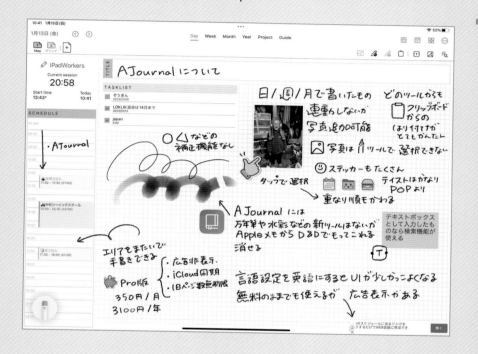

追加できるパーツには、現在の時間を表示するものや1日のスケジュールなどさまざまなものが用意されている。

AJournal はこんなこともできる！

標準リマインダーアプリ
との連携

タスクリストのパーツは標準リマインダーアプリとの連携があり、リマインダー項目を表示できる。完了済みタスクにはチェックマークが入る。しかし AJournal 側からはタスクの完了操作はできない。

ノートを探しやすい一覧表示

ページ一覧では、各ページのサムネイル画像が表示される。手書きメインで使用するなら、このサイズでも何が書いてあるかが大体わかるので、目的のノートを探しやすい。このページ一覧画面からテキストボックスで入力したテキストを検索可能。

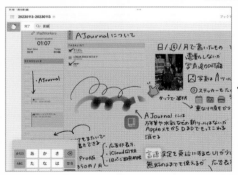

ノートの書き出しができる

AJournal はプリントや書き出しにも対応している。PDF として書き出せば、iPadOS の機能を使って手書き文字も検索できる。

---

memo | **AJournal のテンプレートカスタマイズ**

パーツは個々に色や、オプション項目の設定が可能です。たとえば、カレンダーのパーツなら、表示する時間を何時から何時までにするか、表示するカレンダーの選択などができます。また、追加パーツのサイズやページ内のレイアウトなども自由に変更できます。

AJournal × ATrackerで作業記録が自動で入る

AJournal は、単独で使ってももちろん便利ですが、同じ会社が作っている作業時間を記録するトラッキングアプリ「ATracker」と連動させて使用すると、作業記録が手帳に簡単に残せるようになります。今までは手書きで作業記録を書いていましたが、AJournal と ATracker を使えば自動で作業記録が入ります。

AJournal は ATracker で記録したタスクを取り込み、その上に手書きでメモを残せます。作業に関してのちょっとしたメモを手書きで残せるので非常に便利です。作業記録を残したい人、自分が何にどれだけの時間を使っているのかまとめたい人には AJournal と ATracker の組み合わせがおすすめです。

ATracker に表示されているタスクをタップして作業時間を記録する。

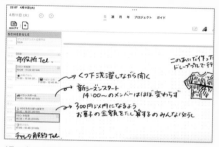

ATracker で記録した作業時間が AJournal のカレンダーに反映され書き込みが可能になる。

作業記録を開始する

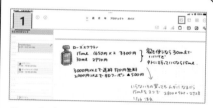

AJournal の右上にある ATracker を開くアイコンをタップして ATracker で記録をスタートする。

タスクをタップするだけで、トラッキングがスタートする。ATracker の上部にも AJournal を開くアイコンがあり、このボタンをタップして AJournal に戻る。

おすすめアプリ

ATracker

ATracker は時間トラッキングアプリ。1 タップでタイムトラッキングをスタートし、再度タップするとトラッキングアプリがストップ。どんなタスクにどれくらいの時間が費やされているのか簡単に可視化できる。

WonderApps AB
無料　App 内課金あり

iPadOS 17 の新機能

「iPadOS 17」では、より「パーソナルで高機能な体験を提供」と表現されているように、ロック画面のカスタマイズやインタラクティブウィジェット、PDF とメモのアップデート、メッセージと FaceTime の強化などが含まれます。

―――― インタラクティブなウィジェット ――――

iPadOS 17 では、ウィジェット機能がパワーアップし、インタラクティブウィジェットになります。

たとえば、標準リマインダーアプリのウィジェットなら、ウィジェット上でタスク完了のチェックができるようになります。他にも、ウィジェットから直接、「照明をつける」「曲を再生」「暗記カード」「行動記録」などの操作が可能です。

iPadOS 16 以前のウィジェットは「見る」だけで、ウィジェットをタップするとアプリが起動して操作を行うというのが基本でした。それがインタラクティブなウィジェットになると、アプリを起動しなくてもホーム画面上で簡易操作が可能になるのです。

iPhone よりも画面の大きい iPad は、1 画面に設置できるウィジェット数も多いです。ウィジェットがより便利に使えるようになると、iPad のホーム画面の役割が少し変わってくるでしょう。

他にも、PDF 編集機能のアップデートなど、今まで標準機能だけではできなかったことも、どんどん機能追加でできることが増えていきます。

iPadOS 17 の新機能の一覧。iPadOS 17 は、全体的に細かなアップデートが多い印象。派手なアップデートはワクワクするが、実は細かな使い心地が向上した方が満足度は上がる。

用語索引 >

ま行

や行

ら行

著者プロフィール

五藤晴菜
Goto Haruna

「iPad Worker」として、執筆、デザイン、イラスト、動画編集など、多岐にわたる仕事をiPadでこなすクリエイター。仕事だけでなく、子育てや生活、学習など、あらゆる場面で役立つiPadの活用アイデアを発信。iPadの魅力をより多くの人に伝えるため、ニュースレターやYouTubeチャンネルの運営、各地でiPadセミナーを開催など、幅広い活動を展開。著書に『はたらくiPad』（インプレス）など。

カバーデザイン	新井大輔
カバーイラスト	Yunosuke
本文デザイン・組版	坂本伸二
撮影	西田周平
編集	小平彩華

本書サポートページ

https://isbn2.sbcr.jp/17936/

本書をお読みいただいたご感想を上記のURLからお寄せください。
本書に関するサポート情報やお問い合せ受付フォームも掲載しておりますので、
あわせてご利用ください。

iPadの引き出し
あらゆる場面で役に立つ活用アイデアブック

2023年　7月　6日　初版第1刷発行

著者	五藤晴菜
発行	小川 淳
発行所	SBクリエイティブ株式会社 〒106-0032　東京都港区六本木2-4-5 TEL 03-5549-1201（営業） https://www.sbcr.jp
印刷・製本	株式会社シナノ

Printed in Japan ISBN 978-4-8156-1793-6